Un jour,
je vous ai croisés

DU MÊME AUTEUR

aux Éditions du Masque

La Femelle de l'espèce, 1996
(Masque de l'année 1996)
La Parabole du tueur, 1996
Le Sacrifice du papillon, 1997
Dans l'œil de l'ange, 1998
La Raison des femmes, 1999
Le Silence des survivants, 2000
De l'autre, le chasseur, 2001
Un violent désir de paix, 2003

aux Éditions Flammarion

Et le désert..., 2000
Le Ventre des lucioles, 2001
Le Denier de chair, 2002
Enfin un long voyage paisible, 2005

aux Éditions Calmann-Lévy

Sang premier, 2005
LA DAME SANS TERRE
t. I : *Les Chemins de la bête*, 2006
t. II : *Le Souffle de la rose*, 2006
t. III : *Le Sang de grâce*, 2006
Monestarium, 2007

Andrea H. Japp

Un jour, je vous ai croisés

nouvelles

calmann-lévy

ISBN 978-2-7021-3814-4

À vous, que je ne connais pas.

PROLOGUE

Un jour, je vous ai croisés.

Il s'agit de cela. Un geste, un soupir, quelques mots de vous, qu'importe s'ils ne m'étaient pas destinés. Ils m'ont émue, parfois exaspérée, toujours intriguée.

Vous étiez dans votre vie, plongés dans une attente, une colère, une tendresse, ou un vide bienvenu. Vous vous pensiez seuls. Vous aviez tort. Je surveillais les ombres sur vos visages, les agacements de vos mains, le pli de vos sourires. Vous m'avez conduite ailleurs, pour une poignée de secondes. Je vous y ai suivis. Une fois arrivés, nous nous sommes quittés. Certes, vous ignoriez être accompagnés.

Ne vous cherchez pas. Vous êtes devenus de troublants points de suspension, la tournure d'une phrase, le synonyme d'un hasard. Vous avez happé ce regard qui parfois ne m'appartient plus parce qu'il s'accroche à vos talons jusqu'à les voir disparaître au tournant d'une rue.

Vous et si peu vous tout à la fois.

Raphaël et le cœur des biches de verre

Dans un hôtel de l'est de la France

J'aime les salons consacrés à la littérature, au polar surtout. Deux ou trois sont devenus mes colonies de vacances. J'y retrouve mes habitudes, souvent charmantes, parfois agaçantes. Cette auteure qui baratine le chaland comme on vendrait des épluche-légumes. Surfant sur la défunte vague « *trash* », elle fourgue sa prose à coup de métaphores vaginales ou intestinales, cliniques ou ordurières. La vision d'une tuyauterie gargouillante, sanguinolente et cloquée de gaz, se forme dans mon esprit. Cet autre, le sourire aux yeux, dont l'inépuisable série SF a chaviré ma sage adolescence. Il évoque son épouse avec l'adulation joyeuse des amoureux de plus de soixante-dix ans. Ils sont mariés depuis cinquante ans. Elle lui manque. Elle arrivera sous peu. Elle se promène. Tiens... enfin, la voilà. Il se lève, ému, lui tend les mains et me la présente d'une voix fière

Je rejoins pour quelques jours mes lecteurs, une

sorte de vaste famille dont je mélange les prénoms, jamais les visages ni les histoires. J'aime les histoires. Les êtres sont leurs histoires. Je me réapproprie des images, des lieux, des gens que je ne connais pas et qui pourtant abandonnent rarement mes jours puisque j'écris pour eux. Chaque salon devient un joli sautoir d'heures que je peux ensuite frôler du souvenir.

Au soir, épuisée de satisfaction, je réintègre un quelconque hôtel de la gare, du parc ou du commerce et je m'écroule devant un dîner avant de me traîner vers un lit.

Il faisait très froid ce soir-là. Vous dévoriez depuis un moment l'un de ces périodiques gratuits qui rassemblent des annonces : proposition de vente de lit d'enfant ou de fumier de cheval, tentatives de rencontre d'esseulés, coiffeur pour dames se déplaçant à domicile. Vous aviez terminé votre dîner et je me demandais ce qui pouvait motiver votre intérêt passionné. Le visage fatigué, le teint presque cendré, vous jetiez de fréquents regards à la grosse pendule murale. J'ai d'abord pensé que vous attendiez quelqu'un. Une visite peu agréable, ou alors décisive, à en juger par la tension des muscles de vos mâchoires, par votre regard qui fuyait sans savoir où se poser. J'ai ensuite compris que vous luttiez contre l'inertie du temps. Le patron, un homme entre deux âges, entre deux humeurs, s'est approché de votre table. D'un ton dont il a tenté de gommer l'impatience, il vous a lancé :

– Terminé, Raphaël ?

Pourquoi tenait-il à vous voir quitter la salle de restaurant ? Pour débarrasser ? J'avais à peine commencé mon repas, votre assiette pouvait attendre. Afin de se débarrasser. De vous.

L'affolement dans le regard, vous avez hoché la tête. Vous vous êtes levé avec difficulté, comme un nageur à bout de souffle. Vous avez traversé la salle à grandes enjambées, entraînant derrière vous la brume de désespoir qui nous environnait sans que j'y aie pris garde.

J'ai compris la brusquerie de l'hôtelier. Votre insondable tristesse, votre panique face à la lenteur des secondes avaient tapissé les murs de la grande salle, semés de minuscules chapeaux de paille dans lesquels étaient fichés des bleuets et des coquelicots en plastique. L'abattement d'un homme nourrit de façon confuse le remords de ceux qu'il rencontre. Le patron n'avait plus de place pour ce remords de vous. Qui l'en blâmerait ? Tant d'accablements se croisent dans les couloirs des hôtels.

Les écrivains sont des éponges. J'éponge les confidences que l'on m'accorde. J'ignore le plus souvent où elles me mènent. Ce soir-là, elles m'ont conduite vers vous.

Sans doute gêné de sa hâte à vous voir disparaître, l'homme entre deux humeurs m'a livré quelques bribes de votre vie :

– Un type bien, courageux... mais la poisse ! Il a trouvé un petit job dans une scierie. C'est temporaire.

J'ai ainsi appris que vous étiez verrier de métier, licencié d'une fabrique de fermenteurs qui fournissait l'industrie du médicament. Un long chômage, le brutal départ de la femme aimée, une lente dégringolade. L'impitoyable glissade d'un homme. C'est si banal que l'on finit parfois par oublier la férocité de ces naufrages communs.

Il était à peine vingt et une heures... encore quelques interminables moments à aménager avant de pouvoir se coucher sans avoir le sentiment d'abdiquer. Raphaël avait pourtant fait traîner son dîner au-delà du raisonnable, mais il n'avait arraché que quelques minutes de plus à la défaite de chaque soirée. À sa décharge, la mesquine frugalité des menus réservés chaque jour par le chef aux « occupants de longue durée ». Ils n'engageaient ni à la dégustation, ni surtout à cette paresse sensuelle qui accompagne les bons repas. Une sorte de triste et maigre salade de verdure hachouillée, rosie de quelques lardons secs et décorée en son centre d'un demi-œuf dur – les œufs mollets étant de préparation plus exigeante – avait précédé une chose déroutante, dont l'absence d'odeur n'aidait pas à l'identification. Courtois, désireux d'un peu de conversation, Raphaël s'était enquis auprès de la morose jeune fille qui servait en salle de la nature du petit sac gonflé qui baignait dans une lourde sauce maronnasse. « Paupiette de volaille farcie aux cèpes », avait répondu la jeune femme épuisée. La farce, une boue caoutchouteuse, maintenue par une escalope de dinde si mince qu'il avait fallu l'arrimer de trois tours de ficelle, n'avait de cèpes qu'un vague arrière-goût de moisi. Raphaël avait pourtant tout englouti, allant jusqu'à saucer son assiette avec soin. Il avait ensuite attaqué une crème caramel avec un bel optimisme parce que son goût trop sucré oblitérait celui, suspect, des pseudo-champignons. Le sandwich qu'il s'octroyait le midi était déjà loin.

Une femme rousse, assez grande, s'installa en diagonale de sa table, le plus à l'écart possible. Elle portait encore un badge épinglé au revers du col de sa veste. Sans doute un des auteurs qui signaient au salon du livre organisé chaque année par la ville. Raphaël récupéra le petit *J'achète, je vends*, un journal d'annonces gratuites. Il déchiffra scrupuleusement toutes les rubriques : loisirs, travail, rencontres, jardinage, chiens, chats, immobilier. C'est dingue ce que les gens vendent ! Depuis les moteurs de vieux tracteurs jusqu'aux couverts dépareillés en vermeil. Lui n'avait plus rien à vendre, ni à acheter. Lui n'était plus rien. Raphaël regarda à nouveau la pendule murale, plantée au milieu du ridicule semis de chapeaux de paille miniatures. Seulement trois minutes de passées. La femme rousse poussait du bout de sa fourchette les lardons ratatinés de sa salade, les examinant avec un soin maniaque. Une femme prudente.

Le patron, un plutôt gentil bougre qui pourtant tirait la gueule en permanence comme s'il s'agissait d'un tic, se planta devant sa table. Raphaël se tendit. Il allait devoir se lever, rejoindre le vertigineux désert de sa chambre.

– Terminé, Raphaël ?

Il s'enfuit de la salle, sans un regard pour la femme. Étrange : cet hôtel qui semblait s'accrocher à sa hideur et à sa tristesse comme preuve de sa bonne réputation, demeurait le seul endroit qu'il puisse encore habiter. Pourtant, chaque pièce le repoussait. Il ne pouvait y demeurer que quelques minutes ou quelques heures.

Il soupira et s'assit sur le coin du lit après avoir tiré le grand carré de fausse soie à fleurs mauves censé l'égayer. La patronne lui avait déjà fait deux réflexions acerbes :

– Monsieur Leroy, on enlève un couvre-lit avant de s'asseoir ou de se coucher. Ça abîme sans cela.

Raphaël Leroy ne tenait pas à se mettre à dos ce couple morne et muet. L'hôtel, bien que déprimant, était propre, et la douche de sa chambre lui semblait le dernier luxe auquel s'accrocher coûte que coûte. Le jour où il devrait déménager dans une chambre moins chère, « à évier », serait probablement celui du vrai commencement de la fin.

Le « vrai commencement de la fin » ! Une pathétique dérobade qui permettait encore à Raphaël de dorloter, par intermittence, l'espoir que, peut-être, tout cela n'était qu'une mauvaise passe. Dévastatrice mais transitoire. Quelle pernicieuse foutaise que l'espoir lorsqu'on y songe. L'espoir que la hargne méprisante de Nathalie n'était que passagère, qu'elle se rendrait compte après quelques mois de séparation qu'elle l'aimait toujours. L'espoir que ce mec avec lequel elle vivait maintenant la décevrait à son tour.

L'espoir que le nouveau DG de sa boîte qui vendait des fermenteurs s'apercevrait enfin qu'il ne reste en France que quelques souffleurs de verre. Peut-être que ce jeune type, pas même désagréable, juste sans états d'âme, percevrait ce qu'il faut de cran et de souffle pour déformer, modeler ces boules informes et visqueuses, rougies au brasier. Elles sont à la fois si fragiles et si obstinées qu'on doit puiser tout au fond de ses poumons afin de les métamorphoser en pièces précises et robustes. Le sang afflue alors. Il se bouscule, déferle en cognant le long des tempes. On a parfois l'impression que le cerveau va éclater, que l'on va vomir l'intérieur de son ventre. Les machines ne savent pas faire cela. Les machines ne savent pas qu'il faut l'esprit humain pour dépasser la souffrance et l'épuisement. Juste pour une pièce de verre. Unique, parfaite. Raphaël s'accrochait à l'espoir que tout cela n'était qu'une stupide succession d'erreurs, que tout allait redevenir comme auparavant. Et si ce n'était pas une « stupide succession d'erreurs » ? Si, véritablement, Nathalie ne « pouvait plus le supporter », qu'il n'était « qu'un pauvre type » ainsi qu'elle lui avait jeté au visage avant d'entasser le maximum de leurs possessions dans le 4 × 4 de son amant ? Si les nouvelles machines pouvaient remplacer les poumons d'un homme, ce tissu de fragiles alvéoles qui se distendent sous l'air inhalé, pour respirer ou créer des merveilles ? Le nuage gazeux se compacte jusqu'à ce que les veines du cou menacent de rompre. Il faut ensuite le repousser avec précision, en gonfler la canne ou la boule qui mollit, puis se rétracte trop vite. Aller jusqu'au bout, extirper ce volume résiduel d'air qui demeure toujours tapi au fond des poumons, que nous ne chassons qu'au comble de l'effort, quitte à perdre connaissance.

En dépit de six mois de recherche, Raphaël n'avait pas retrouvé de travail dans sa partie. Il avait posé ses deux valises dans cette petite ville du nord-est de la France, un peu par hasard, beaucoup parce qu'il y avait décroché un boulot temporaire dans une scierie. Le verre lui manquait. Pourtant, c'est si ingrat, si despotique, le verre. Ça n'a aucune reconnaissance pour l'homme qui le transmute. Ça oublie son origine informe et vulgaire – vilain mélange de silice, de soude et de chaux – une fois que c'est devenu murs translucides, miroirs de jolie dame, pyramides insolentes, ou impérieuses cathédrales. Raphaël l'aimait surtout parce qu'il savait le dompter. Pour le sourire de Nathalie, aussi, lorsqu'il trouvait le temps de souffler de petits objets qu'il lui offrait en rentrant de l'usine. Il pouffa en se souvenant de cette maman cygne accompagnée de quatre petits qu'il avait alignés sur la tablette de la salle de bains, attendant que sa femme les découvre. Son regard tomba sur la biche bleutée au cœur pourpre. Une envie de fondre en larmes le prit à la gorge. La jolie biche qu'il avait sauvée de l'humeur assassine de Nathalie lorsqu'elle avait hurlé en balançant les petits sujets sur le carrelage, peu avant de le quitter :

– ... et j'en ai marre de ces horreurs... C'est bien des trucs de mémère ! Je passe mon temps à les planquer dans un tiroir pour les ressortir le soir avant que tu rentres. Des attrape-poussière mochetingues, c'est tout ce que tu sais faire ! Eh bien, je suis désolée, mais je vaux bien mieux que ça !

Il avait rattrapé la biche au vol, avant qu'elle ne se pulvérise en fragments comme les autres. Elle trônait ce soir sur sa table de chevet. Cette biche, c'était un peu lui, et Raphaël ne comprenait toujours pas comment ils avaient tous deux résisté à la démolition. Au saccage. Certes, il s'en était sorti pas mal amoché. La biche aussi d'ailleurs : elle avait perdu une oreille dans la rage de Nathalie. Amoché mais en vie.

Merde. Il glissait, comme tous les soirs. Ça commençait toujours par la même constatation : « Amoché mais en vie. » Suivait l'éternelle question. En vie ? Qu'en savait-il ? Et pourquoi faire ? À part épousseter la biche, la tremper une fois par semaine dans de l'eau tiède savonneuse avant de la rincer et de la sécher, qu'en faisait-il de cette fameuse vie depuis trois mois ? Il partait à la scierie tous les matins pour en revenir au soir, gagnant juste assez pour s'ennuyer à mourir dans cet hôtel sinistre. Si c'était cela « sa vie », mieux valait en terminer au plus vite afin de s'épargner des mois et des années d'interminable agonie.

Raphaël s'était assoupi, recroquevillé au bout du lit, ses pieds traînant toujours par terre. Une sorte d'évanouissement, une trêve accordée par les souvenirs.

Il se leva et s'approcha de la fenêtre qui donnait sur l'artère commerçante, désertée dès vingt heures. Seuls quelques ivrognes y vociféraient parfois, invectivant d'une voix pâteuse les ombres des rares passants, calomniant les fantômes qui peuplaient leurs souvenirs. Une jolie avenue, partagée en son centre d'une promenade bordée d'arbres. Le matin, des enfants y couraient, petits retardataires affolés, brandissant déjà le bulletin d'excuses parentales qui apaiserait le professeur ou le gardien du lycée. Des chiens y promenaient leurs maîtres, chacun avançant en convivialité à un bout de la laisse. Des femmes s'y immobilisaient pour quelques minutes de bavardage. Le soir venu, tout disparaissait, comme aspiré, au point que l'on se demandait où pouvaient bien se ranger tous ces gens, tous ces chiens, toute cette animation durant les heures nocturnes.

Quatre étages. Les chambres du premier et du deuxième avaient été refaites « à neuf » – plutôt à moins triste –, ainsi que lui avait expliqué la patronne. Elles étaient donc plus chères. Raphaël avait décliné. Il s'était accoutumé au vrombissement épais des broyeurs des toilettes du quatrième et au va-et-vient électrique qu'on ne pouvait éteindre ou allumer que de la tête de lit.

Il ouvrit la fenêtre et se pencha. Quoi ? Ou plutôt combien ? Une vingtaine de mètres ? Une ou deux secondes ? C'est moins long que trois mois s'additionnant à des années pour aboutir à des décennies. Quant à la trouille, du moins adopterait-elle la fulgurance des choix définitifs. Pas comme l'abrutissante et interminable pétoche que lui inspirait l'univers de rien qui s'étendait devant lui.

Quelque chose attira son regard vers la droite. Un immeuble en pierre de taille de l'autre côté de l'avenue. Un immeuble étroit dont le dernier étage était surmonté d'un long chien-assis. Trois minuscules fenêtres recouvertes de zinc diffusaient une lumière incertaine, un peu jaune. Raphaël s'étonna de cette preuve de vie dans l'obscurité silencieuse de l'artère. Quelle heure pouvait-il être ? L'horloge de la télévision le renseigna : une heure du matin. Il se contorsionna sans parvenir à distinguer davantage que la vague clarté. Pourtant, cette lueur disait que quelqu'un d'autre était privé de sommeil. Il referma la fenêtre sans toutefois abandonner sa contemplation. Une heure plus tard, la fatigue le rattrapa et il rejoignit ses couvertures rejetées, curieusement soulagé : la clarté ne l'avait pas lâché. Il sentit l'endormissement le gagner. Une dernière question persista : qui errait là-bas, de l'autre côté de la nuit, dans le jaune parcimonieux d'une ampoule ? Sans doute une femme. Les femmes dorment moins que les hommes, enfin du moins était-ce ce que Nathalie prétendait. Tiens, cela faisait presque deux heures que son ex-épouse avait quitté sa tête. Oui. Il s'agissait d'une femme. Seule. Abattue. En panne de sa vie. Comme lui.

Lors des nuits qui suivirent, Raphaël surveilla sans relâche la clarté, ne cédant que lorsque le sommeil le prenait d'assaut. Il lui sembla que la jolie biche à l'oreille cassée luisait à nouveau d'un halo bienheureux et que les maigres innovations culinaires du « chef » s'amélioraient. Il lui sembla surtout que la pesanteur des heures qui s'écoulaient sans autre motif qu'elles-mêmes s'amenuisait. Une idée déroutante s'immisça peu à peu : peut-être l'espoir n'était-il pas si pernicieux qu'il l'avait d'abord jugé ?

Le dimanche suivant, au matin, Raphaël se décida après de longues et réjouissantes minutes. L'anticipation de la découverte, de la timidité qui allait lui couper les jambes et les mots lui faisait crisper les lèvres. Il sortit de l'hôtel et traversa l'avenue. L'angoisse lui heurta le ventre lorsqu'il parvint devant la double porte de l'immeuble. Il inspira de son ancien souffle de dompteur de verre, celui qui le grisait à le déséquilibrer, et poussa le battant. Il dut s'y reprendre à deux fois pour déchiffrer les noms portés sur les boîtes aux lettres, puis pour les associer à la liste des occupants de l'immeuble protégée d'un sous-verre. Le dernier étage était occupé par une « E. Quentin ». C'était une femme, il en était maintenant certain. Élisabeth ? Émilie ? Éléonore ? De bouleversants prénoms se bousculèrent dans sa tête. Il tenta d'en préférer un, en vain. Tous étaient plus jolis les uns que les autres. Nul besoin de la confirmation d'un « Mlle » ou « Mme » précédant son nom. « E », comme dans Élise, Éliane, Éloïse aussi. Les prénoms d'une femme qui caresserait du bout du doigt les biches au cœur pourpre.

Raphaël ressortit rapidement de l'immeuble, soulagé au point de rire. Un nom, un seul figurait sur la petite étiquette. Le nom précieux d'un être familier qui déambulait comme lui dans la nuit, arpentant un minuscule espace jusqu'à en perdre les proportions. Une femme seule. Un être qui, peut-être, s'inquiétait de la disparition de l'espoir. Un être auquel il pourrait, un jour de courage, affirmer que l'espoir ne ment pas toujours. La preuve.

L'espoir est contagieux, conquérant même, c'est ce qu'apprit Raphaël le lendemain lorsque le patron de la scierie, un gros gars gentil et peu disert, lui annonça qu'il le gardait.

Ce soir-là, au dîner, les minuscules chapeaux de paille égayèrent de leurs bleuets et de leurs coquelicots les murs de l'affligeante salle de restaurant. Étonné de sa soudaine bonne humeur, le patron s'entendit proposer à son pensionnaire un petit calva de l'amitié. Il s'installa en face de lui. Ils dégustèrent leurs verres dans un silence complice et paisible.

– Comment t'as trouvé la blanquette de dinde ? demanda enfin l'hôtelier.

– Fameuse, répondit un Raphaël enjoué.

L'autre pouffa, avant de commenter sans fiel :

- Ben, soit t'as pas de papilles, soit t'es super indulgent. C'est ma femme qui fait la tambouille. Vu comment elle réussit une omelette, j'ai des doutes ! Je te dirai demain, parce que je vais aussi y passer, à la blanquette.

Raphaël s'esclaffa comme s'il venait d'entendre la chose la plus drôle depuis des mois. Sans doute était-ce vrai, puisque la vie revenait enfin.

Durant les jours qui suivirent, il résista à l'envie de plus en plus insistante de retourner dans le hall d'entrée de l'immeuble, de l'autre côté de l'avenue. De concentrer son souffle, de sonner cette fois. Au lieu de cela, il s'abrutit de travail à la scierie.

Chaque nuit, il épiait la clarté avant de s'échouer dans son lit. Elle ne lui fit jamais faux-bond. Il en vint à la certitude que cette lumière l'attendait, l'escortait jusqu'au sommeil pour veiller ensuite sur ses rêves. Une sorte de précieuse balise qui guiderait ses nuits. Chaque matin, il se morigénait sous la douche. Mince, quel crétin quand même ! Enfin, il ne pouvait pas se contenter indéfiniment d'une vague lueur comme compagne. Il était plutôt beau mec et avait maintenant un travail sûr. Peut-être même que, un jour, il retrouverait un emploi de verrier. Il défierait à nouveau la matière, la ploierait sous son souffle, la façonnerait jusqu'à ce qu'elle devienne lisse, cristalline, une coulée de torrent prisonnière du temps, figée pour l'éternité. Des gouttes de verre solidifié, sorties de ses poumons. La chance était à nouveau à ses côtés. Il le sentait. Après tout, Nathalie l'avait aimé, de cela il était certain. Une autre femme pouvait donc le juger séduisant. Tiens, cela faisait au moins deux jours qu'il n'avait pas ressassé leur séparation. C'était décidé : demain, il se débrouillait pour trouver un prétexte et sonner chez Éliane, Émilie, Élise, Élisabeth. Demain. Elle.

À son habitude, il s'installa au fond du car et récupéra le journal abandonné sur le siège voisin. Raphaël aimait bien ce petit rite : trouver un journal déjà lu, le parcourir durant les trois quarts d'heure de son voyage jusqu'à la scierie. C'est bien que les choses qui ont déjà servi retrouvent leur utilité auprès d'inconnus.

Son regard tomba sur la rubrique nécrologique. Des époux, des parents y faisaient part de leur épreuve. Il hocha la tête de compassion lorsqu'il apprit qu'un petit Joël âgé de huit ans venait de décéder. Il soupira en lisant qu'une Suzanne Chambert s'était éteinte à l'âge de quatre-vingt-seize ans. Une longue vie. Il termina la colonne en découvrant que les enfants et petits-enfants d'un Ernest Quentin, âgé de soixante-douze ans, passé à l'issue d'une longue agonie, porteraient en terre le défunt le surlendemain, après une cérémonie célébrée dans la plus stricte intimité en l'église Sainte-Geneviève.

Il ne vit pas la journée passer et rentra fourbu. Il expédia son dîner sous l'œil un peu dépité du patron que leurs petites discussions digestives délassaient maintenant.

Demain, il sonnait. Il lui fallait la solitude de sa chambre afin de se préparer.

Il se planta devant la fenêtre, cherchant la lueur. En vain. Une stupéfaction douloureuse l'envahit. Il se reprit très vite, s'en voulant de son égoïsme. Sans doute « Elle » était-elle épuisée par toutes ces nuits d'insomnie. Peut-être même avait-elle eu recours à un somnifère afin de dormir un peu.

Le lendemain soir, il transpirait lorsqu'il enfonça le bouton de l'Interphone d'Éliane, Élodie, Éloïse, Éléonore. Elle. Une voix jeune, plaisante, résonna aussitôt dans le couloir de l'immeuble, l'informant :

– La levée du corps a lieu demain, à quatorze heures. Vous faites partie de la famille ?

– Euh... Je voulais m'entretenir avec Mme Quentin.

La voix, plus méfiante, rétorqua :

– Mme Quentin est décédée il y a au moins vingt ans. Quant à M. Ernest, il s'est éteint avant-hier. Je suis l'infirmière de nuit. Je ramassais mes affaires. Qui êtes-vous ?

Raphaël était déjà dehors et courait à perdre haleine le long de la belle avenue. Les larmes aux yeux. Des bribes de phrases. Âgé de soixante-douze ans. Une longue agonie. Après une cérémonie. Dans la plus stricte intimité. L'église Sainte-Geneviève.

La lueur. La lueur qui lui avait restitué sa vie ne lui était pas destinée. C'était celle qui accompagnait les nuits d'une infirmière veillant au chevet d'un mourant.

Il s'engouffra dans l'hôtel sans saluer le patron et se rua dans sa chambre.

Il ouvrit la fenêtre et se pencha. Combien ? Une vingtaine de mètres ? Une ou deux secondes ? Bien moins long que des mois s'additionnant à des années. Quant à la trouille, du moins adopterait-elle la fulgurance des choix définitifs. Pas comme l'abrutissante et interminable pétoche que lui inspirait l'univers de rien qui s'étendait à nouveau devant lui depuis qu'il avait compris que la lumière ne lui avait jamais été réservée.

Il récupéra sans même sans rendre compte la petite biche à l'oreille cassée posée sur sa table de chevet et la porta à ses lèvres.

L'attrait bienveillant du vide. La paix. Enfin.

Le cœur de la biche de verre bleuté éclata quatre étages plus bas.

Je dors peu mais d'un sommeil de bûche. Très loin dans mon rêve, la sonnerie plaintive d'un fax en manque de papier.

Je n'appris qu'au petit déjeuner qu'il s'agissait d'une sirène de police. Ils vous avaient emmené au petit matin, pourpre du sang d'une biche de verre.

Retour en train, obsèques confidentielles. Un beau mot que celui d'obsèques. Un accompagnement de l'autre côté de la vie. Pour rejoindre les biches bleutées.

METRONOMES

STR££T
WISE

Chez le plus mauvais traiteur chinois de la planète

C'était l'une de ces journées qui vous préviennent dès l'aube qu'elles seront détestables. Pourtant, le plus souvent, on s'obstine, alors même que leurs fâcheuses prémices vous invitent à rentrer chez vous, vous affaler dans un canapé et dévorer un roman, un chat sur le ventre, un chien à vos pieds, un grand bol de thé de Noël fumant sur la table basse.

Or donc, j'attendais le train, tassée sur le quai balayé par un vent aigre, tentant de me rencogner derrière un arbrisseau malingre, au tronc d'un diamètre à peine supérieur à mon bras.

Secondée par un sens aigu des priorités, j'avais ce tôt matin-là opté pour une mince veste en laine bouillie, sous laquelle je ne portais qu'une chemise de lin, à l'excellente raison que les bureaux parisiens sont surchauffés. Ce raisonnement minimaliste n'avait omis qu'un seul paramètre qui me rattrapait en bourrasques de grésil et en gifles venteuses : on avoisinait le – 3 °C pointé. J'allais devoir résister à l'hiver durant les cinq heures aller et retour du voyage.

Six heures... En effet, le train s'arrêta en rase campagne durant près de trois quarts d'heure. Une voix suave et maternelle nous enjoignit de ne pas descendre du wagon. Pour notre sécurité, précisa-t-elle. Je regardai les champs détrempés qui nous entouraient, me demandant quel téméraire hurluberlu aurait le désir d'une soudaine balade.

Le métro était bondé d'une foule trempée et hargneuse, hérissée de parapluies dégoulinants. Une voiture malotrue inonda la haie de piétons qui patientaient au feu. Je ne dus qu'au butor qui m'avait bousculée pour parvenir le premier au bord du trottoir de ne pas être aspergée de la tête aux pieds. Il essuya le gros de la vague d'eau boueuse. Bien fait pour lui et pour son beau pardessus gris pâle !

La réunion à laquelle j'étais conviée débuta avec une heure de retard. N'est-il pas étrange que les questions les plus simples prennent un temps fou à se résoudre lorsqu'on les soumet à l'analyse de quinze personnes qui se servent d'elles pour régler des litiges, affirmer des préséances, vider des fiels qui n'ont rien à voir avec leur contenu ?

Il était plus de treize heures trente. Je m'étais déconnectée de l'échange en cours. Nous butions depuis une demi-heure sur une dissension cruciale et sans doute insoluble : fallait-il installer les nouvelles pointeuses avant le vestiaire ou après, la distance séparant les deux n'excédant pas cinq mètres ?

À la vérité, le problème était aussi épineux que les histoires de baignoires qui se vident tout en se remplissant. À l'évidence, dans un cas, en entrant on pointait puis on enlevait son manteau. En revanche, en sortant, on remettait son manteau puis on pointait. En inversant la place de la pointeuse, on inversait le processus. En d'autres termes, « avant » ou « après » le stratégique vestiaire se soldait par une permutation de chronologie qui prenait des allures de quadrature du cercle, à moins d'envisager des vestiaires sur roulettes. Ou des pointeuses sur roulettes.

Mon estomac avait fini par s'enrouer à force de crier famine et ne produisait plus que quelques disgracieux borborygmes que je tentais de dissimuler en mâchouillant agressivement un vieux chewing-gum. Fort heureusement, la physiologie rattrapa également mes petits camarades. Quant à moi, je flirtais avec l'hypoglycémie sévère.

C'est donc la tête désagréablement légère que je partis à la recherche d'un restaurant. Je m'affalai devant la table en Formica rouge d'un traiteur chinois, déserté à cette heure. L'endroit, assez vaste, ouvrait de tous côtés sur un centre commercial. Un froid arctique s'engouffrait entre les allées martiales de tables et de chaises. De minuscules lanternes de papier rouge et or étaient suspendues à un plafond, si haut qu'elles m'évoquaient de déplaisantes poussées de chair. En dépit des courants d'air vindicatifs qui slalomaient entre les murs d'un vert bileux, une épaisse odeur de graille stagnait à hauteur de narines. En bref, le lieu avait dépassé le stade dépressogène. Il était affligeant à sangloter.

Une voix criarde m'interpella :

– Faut venir choisir ! Ici.

Pressé on ne savait pour quelle raison puisque le restaurant était ouvert toute la journée et que j'en étais l'unique cliente, le tenancier s'impatientait.

Mon humeur, déjà médiocre, vira au sur. Je m'exécutai pourtant, m'approchant du long présentoir vitré derrière lequel s'alignaient des taches rectangulaires que mon hypermétropie-astigmatisme-presbytie – le tout sans lunettes – ne me permettait pas d'identifier. Sans grand risque de tomber à côté, je commandai trois nems au poulet puis désignai de l'index une grande tache marron brique en annonçant :

– Et une part de ça avec un bol de riz blanc, s'il vous plaît.

– Travers à l'impériale, me renseigna le grincheux d'un ton qui disait assez qu'il n'en était pas peu fier.

J'ai toujours éprouvé une passion pour la nourriture. Tout ce qui la constitue et la concerne me fascine. Nous avons eu nos moments d'absolue félicité, nos rebondissements, nos rires, nos déceptions et nos drames. C'est le propre des passions. Ce restaurant-là devait entrer dans mon livre des records alimentaires assorti du label « le plus mauvais traiteur chinois de la planète ».

Après les nems, dont je me demandai ce qui pouvait bien les farcir, et surtout quel matériau à la fois caoutchouteux et tenace enveloppait cette inquiétante inconnue, surgirent les tronçons de côtes de porc, baptisés « à l'impériale » avec un optimisme qui frisait l'escroquerie. Examinant les petits osselets enrobés de gras – seulement de gras – surnageant dans une sauce gluante et rougeâtre, je m'interrogeai : où donc était passée la viande ? Je fouillai ensuite mes souvenirs de zoologie. Les côtes porcines étaient-elles presque aussi minces que celles d'un lapin ? En d'autres termes, « ceci » provenait-il véritablement d'un cochon digne de ce nom ? Lâchement, je décidai de passer mon tour et de me rabattre sur le bol de riz. La boule entière se souleva au bout de mes baguettes, dégageant une odeur aigrelette de riz tourné.

Certes, l'endroit n'avait rien de luxueux ou simplement d'accueillant, les prix étaient plus que modestes, cependant j'étais quand même à deux doigts de marquer ma vive réprobation.

Vous êtes entré à ce moment-là, me saluant d'un hochement de tête embarrassé. Vous étiez vêtu d'un bleu de travail, bien trop léger pour la saison, sur lequel était passé un gilet de laine grise, sans manches. Une grosse écharpe d'un jaune incertain était enroulée autour de votre cou. L'habitude de la pénurie avait allégé votre démarche au point que vous sembliez hésiter à poser vos talons sur le carrelage. Les vrais pauvres craignent toujours de gêner, de débarquer au mauvais moment. Ils avancent comme s'ils luttaient contre l'envie de reculer. Vous étiez suivi par une jeune femme qui semblait pressée. La mine revêche, les lèvres pincées sur son incertitude, elle examinait les plats, se collant à votre dos pour vous forcer à progresser vers la caisse. Boudinée dans une doudoune noire qui lui dessinait des segments sur l'abdomen, elle m'évoquait une grande fourmi agaçante. De maigres mollets dépassaient de son vêtement pour se perdre dans de grosses bottes fourrées, renforçant la comparaison. Elle soliloquait à voix basse, s'interrogeant sur ses goûts, ses dégoûts, son envie du jour, bref sur ce qu'elle commanderait dès que vous auriez enfin libéré le chemin. Elle s'affairait, s'agitait sur place. Sa tête allait et venait, tentant de se faufiler derrière votre épaule qui lui bouchait la vue de piteux dim sum ou d'un calamiteux bœuf aux oignons. Votre voix grave et basse m'a séduite. Un peu confus, vous avez demandé :

– Je suis venu chercher mon riz... s'il en reste.

– Oui, oui. Déjà dans la boîte.

J'ai compris qu'ils le soldaient en fin de service. Selon moi avec une semaine de retard. Le propriétaire du redoutable palace trônait derrière sa caisse, vous examinant avec la supériorité que lui conférait sa panne. D'ailleurs, il était assez grassouillet pour que je le soupçonne d'avoir fauché la viande de mes travers, ne m'en laissant que le gras et les os. D'un ton trop aigu pour sa corpulence, il vous lança, goguenard :

– Alors, toujours pas de viande, hein ?

Ma mauvaise humeur monta encore d'un cran.

Vous lui répondîtes de ce lent velours :

– Toujours pas assez de sous. Juste du riz, s'il vous plaît.

J'allais me lever, toiser le petit poussah de mon mètre presque quatre-vingts sur bottes, vous offrir une part de canard laqué ou de poulet à la citronnelle. En espérant ne pas précipiter votre décès. Toiser est un des rares avantages des grandes femmes. Cela et la meilleure accessibilité aux rayonnages de supermarché. Menu inconvénient de cette hauteur au garrot : vous êtes instantanément repérée par les petites femmes qui gesticulent, en équilibre sur la pointe des pieds, jarrets tendus, dans l'espoir d'atteindre les couches-culottes ou les bouteilles d'huile que des manutentionnaires ont eu la pertinence d'entasser à deux mètres du sol. Vous vous improvisez alors gaffe pour vos congénères de taille intermédiaire.

La jeune femme me devança. Elle vous frôla le bras et vous tendit l'un de ses tickets restaurant que, j'en étais certaine, elle économisait. Vous la remerciâtes d'un bel étirement de lèvres, d'un mouvement de tête et d'un joli :

– C'est très généreux à vous, madame. Si ça ne vous ennuie pas, je vais le garder pour ce soir. À midi, le riz, ça me suffit. Merci beaucoup.

Le petit visage fermé s'illumina d'un sourire radieux qui le rendit séduisant. La fourmi vola en éclats et je m'en voulus de ma comparaison d'entomologiste. D'accord, elle était remuante. Cela étant, peut-être était-elle vraiment pressée ? Elle était très bien cette fille et puis, les doudounes, on peut rêver plus flatteur pour la silhouette, mais c'est chaud. Finalement, à l'hiver, c'est une marque de bon sens.

Vous tendîtes un euro en échange d'une grande boîte de plastique blanc de riz. Avant de sortir de cette démarche d'ombre, vous vous inclinâtes devant la jeune femme, la remerciant à nouveau. Elle minauda, ravie :

– Ce n'est rien. Ça me fait plaisir.

Elle balaya du regard le restaurant dont j'étais la seule condamnée, cherchant un témoin à sa libéralité. J'approuvai d'un sourire et elle papillonna des paupières afin de m'assurer que « non, vraiment, ce n'était rien ». Il fallait s'y attendre, elle s'installa juste à côté de moi, commentant :

– Je dis toujours que, si on s'entraidait un peu, y aurait moins de pauvreté.

Je faillis rétorquer qu'elle serait alors peut-être moins voyante, mais que la misère des uns fait gagner trop d'argent à d'autres pour qu'ils lui permettent de disparaître jamais. Je m'abstins. Elle voulait savourer quelques instants son beau geste et le méritait. Ce chèque restaurant représentait de l'argent pour elle. Les gants roses de gamine qu'elle posa sur son sac à main en similicuir craquelé aux coutures l'attestaient. Il me sembla soudain important de devenir la complice de son instant de satisfaction.

– C'est vrai. C'est bien ce que vous avez fait.

– Oh, vous savez... ronronna-t-elle. C'est une goutte d'eau. Enfin, avec un peu plus de cinq euros, il peut s'offrir quelque chose de chaud pour ce soir. Je le vois souvent. Je travaille dans le coin. Il vient chercher du riz tous les jours. C'est pas un clodo. Il fait partie de ces gens qui bossent dur mais qui ne gagnent pas assez pour se loger et se nourrir. C'est quand même lamentable quand on y réfléchit ! s'insurgea-t-elle en attaquant ses crevettes sauce piquante avec une témérité digne d'éloges.

Ça l'était. La dévaluation du travail de l'homme sape les fondements mêmes de la notion de société.

– Vous n'avez pas aimé les travers ? poursuivit-elle en pointant de la baguette vers mon assiette.

– Un peu gras... et je n'avais plus très faim, mentis-je.

– C'est comme ça que c'est meilleur.

Je la trouvais trop sympathique pour me fâcher avec elle au sujet d'une ignominie culinaire. Au lieu de cela, je commis une balourdise psychologique d'une rare ampleur. Je proposai :

– Si vous voulez, on peut partager le prix du ticket restaurant.

Elle se ferma aussitôt, son visage retrouvant ses plis maussades. Elle rétorqua d'un petit ton sec et vexé :

– Pas du tout... Euh... si je l'ai offert, c'est que je pouvais !

– Oui... enfin je... je m'en doute, m'enlisai-je avec talent.

Non seulement je venais de lui gâcher son mignon plaisir de bienfaitrice, mais, de surcroît, je lui balançais son impécuniosité au visage. Suivit un moment pénible durant lequel je luttai sans grand succès contre l'autodétestation, tout en cherchant frénétiquement ce que je pourrais dire afin de rattraper mon impair. Le grand homme noir d'une bonne soixantaine d'années, celui au bleu de travail et à l'écharpe jaune, se planta devant la table de la jeune femme, me rejoignant sans le savoir dans mon bourbier. Il jubilait de la bonne nouvelle qu'il allait partager avec elle. Ses prunelles ébène brillaient d'un délice enfantin. Il lui tendit un billet de cinq euros, bafouillant de contentement :

– Merci, madame... je vous les rends. Je n'arrive pas à y croire... je n'ai jamais rien gagné de ma vie. Je suis allé boire un petit café au tabac voisin. J'ai donné votre ticket restaurant, mais ils m'ont expliqué qu'ils n'avaient pas le droit de rendre de la monnaie dessus. Alors, ils me l'ont échangé contre deux *Fétiches*. J'ai choisi deux « neuf ». Je suis né un 9 décembre. Deux euros et cinquante euros. Gagnants, tous les deux. Vous êtes ma bonne étoile, madame. Alors, c'est sûr que je devais vous rendre le montant de votre ticket restaurant ! Ça n'aurait pas été correct de le garder en plus.

Elle se leva d'un élan et rugit :

– Mais vous me faites chier à la fin ! Et puis d'abord, vous n'aviez pas à jouer avec MON argent... Et encore moins à gagner. Et pourquoi pas le picoler pendant que vous y étiez !

Elle récupéra son plateau d'un geste rageur et fonça vers le fond de la salle, pestant entre ses dents, bousculant les rangées de chaises sous sa charge.

Le monsieur en bleu me considéra, bouche entrouverte, stupéfait. Nous sortîmes tous les deux sur la pointe des pieds, penauds.

Nous nous serrâmes la main avec gravité, sans un mot. Nos routes se séparaient.

Je ne sus jamais si les jeux de hasard, l'homme à l'écharpe jaune et moi avions causé la fureur de la jeune femme en lui gâchant son beau geste, ou si elle n'avait pas digéré qu'il gagne cinquante-deux euros à l'aide de SON ticket restaurant. J'opte pour la première solution : les élégances du cœur. Elles ne sont pas si fréquentes qu'on puisse les dédaigner et encore moins les ternir de suspicion.

L'alphabet d'Edmond[1]

Sortie des quais de Seine

Je patientais, ou plutôt m'impatientais, derrière une fourgonnette garée en dépit du code de la route et des règles, si squelettiques soient-elles, du savoir-vivre automobile. De l'autre côté du fleuve, la dalle de Grenelle. Étonnante excroissance qui s'élève du sol dans l'espoir qu'on la qualifie d'exception architecturale. L'immeuble Hachette. J'y avais rendez-vous avec un éditeur.

D'une ponctualité qui frise l'obsession, vestige de mon tenace syndrome de la bonne élève, j'étais en avance. À l'habitude.

Ils ont attiré mon regard. Ce long homme maigre et cette jeune fille à la conquérante chevelure frisée. Des SDF ainsi qu'on les appelle en nos jours de sigles, d'acronymes et de ramassis d'idées. D'indo-

1. Cette nouvelle a été publiée par les éditions J'ai Lu en 2002.

lores initiales de complaisance. Sans domicile fixe. L'adjectif accolé au domicile pourrait agacer s'il ne sentait pas tant la dérobade, la démission et l'antalgie avare. Sans domicile. Point. Des LPC, plutôt. Des Laissés-Pour-Compte, bref, des clodos.

Lui poussait un Caddie de supermarché débordant de livres et de magazines récupérés dans les poubelles du voisinage. Elle riait, attrapant parfois un ouvrage, le brandissant sous le nez de son compagnon d'abandon. Il s'esclaffait à son tour, expliquant quelque chose. J'étais trop loin pour entendre leur échange. Je les ai suivis du regard.

Edmond leva la tête, inquiet. Une goutte, une autre embrassèrent la naissance de ses paupières, juste au coin interne de l'œil, imitant un début de larmes. Il cligna des yeux, lui laissant le temps de s'infiltrer sous ses cils, puis déplia précipitamment la grande bâche bleue. Il en couvrit son Caddie plein à ras bord, bordant ses flancs de plastique, puis examina l'ensemble et soupira de soulagement. Rien ne s'abîmerait. Il suffisait d'attendre que l'averse s'éloigne, et Edmond n'était pas pressé.

Le temps s'écoule étrangement près des fleuves. Il oublie les frénésies ou les apaisements de la ville du haut. Les vaguelettes qui hérissent parfois la Seine sculptent ses secondes. La lenteur sereine des péniches qui la sillonnent rythme ses heures. Les hommes ont tant pris l'habitude de façonner le temps à l'image de leurs urgences qu'il se répète à l'infini, en boucles lassantes. Le temps des fleuves retrouve sa nature. Il s'écoule et ne récidive jamais.

Edmond épousseta d'un revers de manche la chaise de cuisine en Skaï marron dont le dossier avait été perdu, abandonnant derrière lui deux montants chromés, rongés de rouille. Il s'installa, patient. Un rire de jeune fille qui partait en courant, tirant sur la laisse de son chien, le fit sourire, le grondement d'impatience d'un homme en lutte contre un parapluie récalcitrant également.

Edmond s'absorba dans la contemplation des gouttes de pluie qui inondaient le quai, trempant d'abord ses genoux et sa tête, puis ses cuisses, ses pieds. Il aurait pu, bien sûr, tirer un coin de la bâche afin de s'abriter, mais craignait d'offrir ainsi une voie d'infiltration à l'eau. Il haussa les épaules de contentement.

L'onde fine et serrée persista quelques minutes, bleutant les pavés. Puis les gouttes se firent plus obstinées, rivalisant de sérieux entre elles.

Averse. Un joli mot. Les nuages déversent des trombes d'eau. Une contraction de génie de monsieur de La Quintinie, souhaitant raccourcir une locution malaisée, inapte à rendre compte de la puissante soudaineté du phénomène et encore moins de sa brièveté : « pleuvoir à la verse ». Edmond ferma les yeux et déglutit de bonheur : les mots sont des bonbons. Ils se goûtent, se dégustent, se tournent et se retournent sous votre langue. Ils vous font venir la salive à la bouche.

« Gavée ! Ras la frange. Il flotte comme je pisse, y a plus un rat dans cette foutue rue. C'est pas avec ce blouson de merde que je vais rester au sec. Et puis, mon Rimmel se barre. Ça pique, cette vacherie, c'est pas vrai ! Faut que j'me casse dans le Sud. C'est nul de chez nul, ce bled ! »

Émilou fonça tête baissée. Les contours du pont se diluaient dans les gouttes brunâtres qui dégoulinaient de ses cils démaquillés par l'orage. Elle manqua déraper sur ses chaussures à plates-formes, handicapée par l'étroite bande de tissu moulant qui lui servait de jupe, et lâcha son sac en similicuir fuchsia. Une bordée d'injures lui calma transitoirement les nerfs. Elle ramassa son portable, fauché une semaine plus tôt, ses cigarettes et trois tubes de rouge à lèvres qui s'étaient égaillés sur les pavés. Merde, les clopes étaient trempées, quant au téléphone, restait plus qu'à souhaiter que la flotte l'ait pas niqué ! Une silhouette bien droite, assise sur une chaise, mains croisées sur les cuisses, l'arrêta.

Qu'est-ce qu'il foutait, ce mec ? Faut quand même avoir un gros grelot dans la tronche pour prendre la pluie comme un tas ! Merde, pourquoi il se servait pas de la bâche qui couvrait son pucier ?

Elle s'avança vers l'homme assis, maintenant quelques mètres prudents entre eux, et cria :

– Eh mec, j'peux me servir de ton plastique, j'suis trempée ?

– Non, mademoiselle, je suis désolé.

– Hein ?
– Comment.
– C'est quoi, ça ?
– On dit « comment », pas « hein ».
– Tu me lâches, mon pote !
– Je ne vous retiens pas. Au revoir, mademoiselle.

Émilou hésita quelques secondes, cherchant une vacherie bien sentie à lui balancer, laquelle ne vint pas. Exaspérée, transie, elle repartit en courant vers le pont.

Elle allait ressembler à quoi ? Elle sentait déjà que ses tifs frisaient comme des niais. Elle les raidissait en les entourant autour de son crâne et en plaquant dessus un bonnet qu'elle conservait le temps qu'ils sèchent. Et puis, ce tee-shirt prune, qui lui collait au buste comme un épiderme en solde, allait à tous les coups déteindre sur son ventre ! Prune, le bide. Ripou de chez ripou !

Émilou parvint sous l'arcade massive du pont et s'adossa aux pierres. Un relent de vieille pisse avivée par l'humidité lui fit monter les larmes aux yeux. « Bordel, fait chier ! »

Depuis quand était-elle partie de chez sa mère ? Pas loin de deux ans, maintenant. Curieux comme toutes les choses qui l'avaient poussée dehors perdaient en netteté, en réalité. À l'époque, le raisonnement se tenait, tirant sa validité de son manque d'objectivité : un appart merdeux, dans un immeuble merdeux, la seule alternative d'Émilou étant de se coincer des heures durant dans un lycée professionnel pour ingurgiter des cours gerbatoires. En plus, il fallait se la faire, sa mère. Toujours à gueuler, ou à geindre sur son sort. Y avait que sa petite sœur qui y parvenait. Faut préciser que celle-là, elle avait déjà pété un grave plomb avant de naître.

La solution s'était imposée un jour qu'elle regardait une série à la téloche. L'histoire d'une nana un peu comme elle, mal barrée quoi, qui se tirait et qui rencontrait plein de gens et puis elle devenait une star de country music. Bon, la musique était craignos au goût d'Émilou. En revanche, l'histoire percutait à mort. Elle se souvenait bien de la dernière phrase de la meuf, une fois qu'elle était devenue vachement célèbre et que tout le monde se traînait à ses pieds : « C'était ma vie, et je me suis dit que c'était la seule chose qu'ils ne pourraient pas m'enlever. » Puissant, quand même ! Ça avait pas mal tourné dans la tête d'Émilou : si ça se trouvait, une vie de rechange l'attendait elle aussi en magasin et c'était pas en restant plantée là qu'elle l'obtiendrait.

Elle avait levé le camp peu de temps après, n'emportant que le strict nécessaire, abandonnant dans le vilain trois-pièces son ancien prénom, Aurélia, pour adopter celui de la fille de la série. D'accord, c'était pas complètement daube Aurélia, mais ça ne voulait pas dire grand-chose dans son cas. Pas assez prémonitoire en quelque sorte. Prémonitoire, mes fesses ! En ce qui concernait ses dons de clairvoyance, elle devrait requalifier. La tasse à ras bord. Elle s'était fait cogner, presque violer, dévaliser, injurier. Une nuit, un mec trop pété avait pissé sur le plastique noir qui la couvrait, pensant qu'il s'agissait d'un sac-poubelle. Quand elle l'avait engueulé, il lui avait balancé « De toute façon tu ressembles à un gros tas de déchets ». Émilou devait se faufiler dans les toilettes des grands cafés pour parvenir à se laver un peu. La manche dans les gares lui rapportait à peine de quoi bouffer et acheter un paquet de clopes. Sans compter qu'il valait mieux être prudent et pas piquer la place d'un autre, surtout pas d'un des types qui organisaient les réseaux de mendiants. Ceux-là, il fallait se casser lorsqu'ils approchaient. Autres proxénètes de la misère, ils disposaient le matin les gosses – surtout les gamines, ça émeut encore plus le bourgeois – ou même de pauvres fantômes unijambistes ou manchots aux gros carrefours. Pions d'une cour des Miracles version troisième millénaire. Le soir venu, ils les ramassaient en fourgonnette et leur lessivaient les poches.

Sûr qu'il était à gerber l'appart de sa mère. On entendait le voisin du dessus pisser la nuit et prendre sa douche le matin, les mômes hurler, les ascenseurs grelotter de manière inquiétante lorsqu'ils s'arrêtaient à l'étage. On pouvait même profiter de la bouffe des autres tant les odeurs de graille s'infiltraient partout. Et puis tout était moche et triste à pleurer dans cette taule. Cependant, si on entendait le voisin du dessus pisser et prendre une douche, c'est que, au moins, il y avait des chiottes et une salle de bains. Deux ans plus tôt, cette déduction avait échappé à Aurélia. Le problème, c'est qu'elle ne pouvait pas rentrer maintenant. Oh, ce qu'en penserait sa mère, elle s'en tapait. Fort peu de choses l'embarrassaient encore. Non, c'était bien pire que cela. Rentrer c'était admettre que sa vie ne signifiait rien puisqu'« ils » n'avaient même pas voulu lui enlever, comme disait la nana de la série. Entériner sa non-existence et l'indifférence générale qu'elle induisait était toujours au-dessus des forces d'Émilou. Sans doute faudrait-il encore quelques mois de débâcle pour qu'elle parvienne à cet épuisement, à cet accablement qui excuse le renoncement.

La liberté, c'est ce qu'elle s'était seriné à l'époque. La liberté d'être et de devenir, de faire. Bordel, c'est quoi la liberté ? Est-ce que cela ressemble nécessairement à la voûte déserte d'un pont parisien, dont les pierres sont si imprégnées de pisse que l'histoire des défaites humaines s'y entremêle ? Est-ce que c'est un tee-shirt qui bave autour d'un nombril comme une maladie de peau ? Surtout, est-ce la terreur permanente de ne rien être et que les autres l'aient compris avant vous ?

Émilou essuya machinalement les grosses gouttes de pluie qui lui dégoulinaient le long des joues. Merde, elle était sous le pont et ce truc sous ses doigts était tiède. Ses yeux mouillaient. Elle se noyait de l'intérieur.

Un son, là-bas. Un grand cri à sa droite. Elle tourna la tête. Cent mètres plus loin, le vieux clodo au chariot repoussait d'une main deux jeunes types, tout en tentant de protéger de l'autre sa bâche en plastique. Un coup de pied l'allongea à moitié sur son chargement. Il se redressa, se débattant en vociférant. Les autres s'acharnaient, avec cette méchanceté qu'Émilou avait apprise. La méchanceté de trop d'alcool, trop de galères, plus assez d'appétence pour l'espoir et l'envie de se redresser. Nous la conservons à fleur de veines cette envie de blesser, de saccager, l'oubliant le plus souvent. Toutefois, les abrasions de l'âme la font remonter jusqu'à nos griffes et nos mâchoires.

Le grand homme maigre au Caddie se défendait comme il le pouvait, tentant des coups de pied malhabiles, cramponné à son plastique bleu comme s'il s'agissait de sa survie. On aurait dit une de ces grandes araignées qui promènent en hésitant un corps en grain de riz sur huit hautes pattes grêles. Comment ça s'appelait déjà... Ça commençait par un *f*... Ah oui, une faucheuse, c'est ça.

Émilou contempla la scène quelques secondes. Le vieux n'avait pas l'ombre d'une chance, les deux attaquants étaient jeunes, agiles et surtout teigneux. Plus il résisterait, plus leur hargne croîtrait. Après tout, elle s'en foutait. L'univers qu'elle avait découvert, pour s'y retrouver piégée, estompait tout. Plus rien n'avait de sens particulier, plus rien ne méritait davantage qu'un coup d'œil, une évaluation vague mais calculatrice : les deux agresseurs semblaient forts, elle ne pourrait rien leur piquer en douce pendant qu'ils se castagnaient.

L'injure fusa, si incongrue qu'elle l'entendit : « bourreaux incultes ». L'accolement de ces deux mots la stupéfia. Pourquoi « bourreaux » ? Pourquoi pas plutôt « salopards », « enfoirés » ? Pourquoi pas « de ta mère », « de mes deux », « de merde » en place d'« incultes » ? Sur le coup, il ne lui vint pas à l'esprit que ce choix de mots était précisément la réponse à ses questions.

Rien à foutre. Mieux valait retourner à elle. Où en était-elle, d'elle ? À son inexistence, à tous ces gens, ces failles dans les regards, à toutes ces transparences qu'elle croisait.

Une rage folle la secoua. Mais merde, elle existait, c'est vrai qu'elle ÉTAIT ! Et elle allait le prouver, leur démontrer et surtout se le fourrer dans le crâne ! Elle fonça. Le vieil homme maigre s'effondrait, s'accrochant toujours à son chariot, parant d'un bras de plus en plus lent et inefficace les coups des deux autres.

Pour une fois, ses cothurnes trop raides lui obéirent et elle vola presque au-dessus des pavés détrempés. Parvenue à la hauteur du plus petit des assaillants, elle bascula sur le flanc et propulsa de toutes ses forces dans les genoux du garçon un pied armé d'une godasse qui pesait une bonne livre. Il hurla et tomba. L'autre, celui qui cognait le grand homme, se tourna, mauvais, défiguré par la perspective de la curée. Elle feinta, agrippa le montant nu du dossier de la chaise en Skaï et la lui balança au visage avant de la rattraper pour frapper encore. Pas le temps de faire dans la dentelle.

Elle était moins forte qu'eux et, si elle ne les massacrait pas en profitant de l'effet de surprise, elle se ferait exploser.

Émilou la sentit reculer, la haine électrique des deux mecs, céder le terrain d'abord à l'incompréhension puis à la douleur, donc à la peur. Elle cria à l'homme qui cherchait son souffle, une main crispée sur son estomac :

– Bordel, bouge un peu tes fesses ! On n'est pas à la répétition !

L'homme se redressa et avança, poings fermés. Les deux petits loubards abandonnèrent la partie et s'enfuirent en les abreuvant d'injures de dépit.

Ils restèrent là, côte à côte, leurs haleines s'entrechoquant selon une curieuse partition de buée. Enfin, l'homme âgé dit :

– Il semblerait que la pluie ait cessé. Je m'appelle Edmond, mademoiselle.

Il lui tendit cérémonieusement une main trempée qu'elle serra avec la même dignité.

– Moi, c'est Émilou. Qu'est-ce qu'ils te voulaient, ces deux tordus ?

Mon Caddie, je suppose. Sans doute ont-ils pensé que j'y cachais quelque chose de monnayable.

– C'est précieux ?

– Oh oui, très. Toutefois, cela n'a pas grande valeur pécuniaire.

– Pécuniaire ?

– De l'argent.

– Ah. C'est quoi, alors ?

– Des livres, des magazines, beaucoup de choses en vérité.

Il retira avec d'infinies précautions le plastique bleu et découvrit des montagnes de bouquins, de journaux proprement serrés contre les barreaux d'aluminium du chariot. Émilou haussa les épaules. Dire qu'elle avait failli morfler grave pour des bouquins ! De toute façon, les livres, ça l'avait toujours gonflée. Enfin, du moins, l'idée des livres, puisque, à part un chapitre imposé du *Père Goriot*, elle ne se souvenait pas d'en avoir jamais lu. Mais bon, ça lui avait quand même bien pris la tête.

– Je souhaite vous remercier du fond du cœur, mademoiselle. Vous m'avez rendu un service peu commun. D'autant que j'avais sans doute manqué de civilité lorsque vous vous êtes arrêtée à ma hauteur, la première fois.

– C'est pas grave. Il pleurait et... non, je veux dire, il pleuvait et...

Il sourit en l'interrompant :

– « Pleuvait », « pleurait »... ce qui prouve que les larmes sont souvent une averse, en plus « rageur », « ravageur », mais « rassurant » peut-être.

– Hein ?

– On dit...

– Ouais, je sais, « comment ».

– Alors pourquoi ne pas le dire ?

– Pour ce que ça change !

– Ah, mais les mots, mademoiselle... les mots sont des petits morceaux de l'âme des hommes. Permettez-moi d'abuser de votre temps et de vous expliquer quelque chose. Les mots sont portés par une onde qui est la voix, nous sommes bien d'accord ? Cette onde voyage d'un être à l'autre, entraînant sa cohorte de sens. Elle se modifie progressivement, s'alourdissant des idées qu'elle emprunte ici ou là. Lorsque, enfin, elle vous revient, elle est imprégnée d'existence, de plein d'existences. C'est pour cette excellente raison qu'il convient de choisir ses mots avec soin. Voyez-vous, chacun renferme son histoire, qui est aussi la nôtre et celle de tous les autres. On ne peut pas bafouer l'histoire des autres sans abîmer la sienne.

Émilou fixa Edmond d'un œil rond et déclara d'un ton convaincu :

– Faut arrêter de fumer le plastique, mon pote, ça grille.

Il lui tapota la joue et insista :

– Je prends un exemple. L'homme est un omnivore, n'est-ce pas ?

– Euh... ouais.

– Et bien, il suffit de mettre une *h* entre les mains des hommes pour qu'ils s'entre-dévorent en devenant des « homnivores ».

Il dut écrire les deux mots pour qu'elle comprenne. Elle éclata de rire. Ça valait mieux, parce que sans cela elle aurait fondu en larmes en se rendant soudain compte que, depuis deux ans, personne ne lui avait véritablement parlé. Or lorsque l'on adresse la parole à quelqu'un pour lui dire une chose pourvue de sens et qui n'est destinée qu'à lui, c'est bien la preuve qu'il existe. Elle décida donc de passer quelque temps en compagnie d'Edmond afin de profiter davantage de cette identité restituée.

Finalement, il n'était pas aussi empoté qu'il en avait l'air, Edmond. Lorsque, un peu épatée par son vocabulaire, elle lui demanda : « Qu'est-ce que tu faisais, toi, avant ? », certaine qu'il allait lui répondre avocat, professeur ou même diplomate – puisqu'il ressortait des menteuses confidences de maints ivrognes que le barreau de Paris était un des plus gros fournisseurs de cloches –, il précisa d'un ton léger :

– Réceptionniste dans un hôtel parisien. C'était un bon hôtel, une gentille clientèle. J'y ai conservé de solides amitiés. Elles me permettent de prendre des douches chaudes dans les chambres vacantes, avant qu'on y fasse le ménage. Je vous y emmènerai. Cependant, il faut être discret. En échange, je leur raconte des histoires que j'ai lues, ou bien je rédige quelques lettres. Vous savez, ces lettres importantes qui doivent être ciselées parce qu'on y confie l'amour ou qu'on y défend l'argent.

– Et pourquoi tu t'es tiré ?

– À la vérité, c'est un peu compliqué.

– Si c'est que c'est pas mes oignons, te gêne pas pour me l'envoyer.

– « Si cela ne me regarde pas » ou encore « si je me montre indiscrète » serait préférable. Non, il ne s'agissait pas d'une dérobade de ma part. C'est le résultat d'un enchaînement si improbable que je m'y perds encore parfois. Dans l'ensemble, la clientèle était charmante, des réguliers pour la plupart. Sauf cette femme. On l'avait baptisée la « punaise en muguet » parce qu'elle s'aspergeait d'une épouvantable eau de toilette qui évoquait ce désodorisant dont on parfume les lieux d'aisances. Elle était d'une rare prétention. Nous nous vengions. À part cela, c'était une jolie femme, bien mise. Toujours est-il qu'elle m'a accusé d'exposition.

– Hein ?

Il hésita et poursuivit en soupirant :

– Elle m'a accusé de lui avoir fait des avances, de l'avoir suivie jusqu'à sa chambre et... comment dire, d'avoir baissé mon pantalon... Avec mon caleçon.

– C'est archidingue ! Fallait protester, enfin j'sais pas, moi...

– Non... Non, cela, je ne le pouvais pas parce que... c'était vrai. Je lui ai indiscutablement montré mes organes génitaux... pour passer ensuite à la franche exhibition... en me dandinant devant elle dans cet appareil.

– Hein... pardon... comment ?

– Il faut vous dire, Émilou, que j'ai obtenu dans mon jeune temps quelques faveurs de dames. Sans doute avais-je mal compris un regard, ou un sourire. Je m'étais senti fondé à lancer une boutade. Cet après-midi-là, nous étions dans l'ascenseur de l'hôtel, j'ai déclaré d'un ton sans doute un peu appuyé : « Vous êtes un vrai bouquet de printemps. » Je l'ai vue se crisper, ses lèvres se sont serrées et ses narines pincées. Elle m'a répondu avec une morgue crucifiante : « Pour qui vous prenez-vous, le loufiat ? Concentrez-vous sur vos brosses à chaussures. Vous oubliez votre place ! » J'aurais préféré qu'elle me gifle. C'est bien, une gifle de femme. C'est un éclat de passion, pas de mépris. Au bout du compte, ça laisse peu de traces, ou alors des traces plutôt réjouissantes... L'histoire se noue à ce moment précis. Je suis resté pétrifié. Je n'avais pas de mots. J'en avais si peu appris. Aucun de ceux que je connaissais ne convenait. Oh, je savais de vilaines insultes, mais elles auraient donné raison à cette femme. Je cherchais désespérément quelques phrases pour me justifier et surtout la mortifier à son tour, lui retourner cette humiliation qui me faisait monter les larmes aux yeux. Rien. Tout ce que j'ai trouvé, c'est de la suivre dans le couloir et de baisser mon pantalon. Pathétique, consternant, n'est-ce pas ?

– Ouais. Trop crétin. Bon... pas de quoi en pondre une pendule non plus.

– Si... oh ! Si. J'ai bien sûr été licencié. J'aurais pu retrouver assez vite du travail. Après réflexion, j'ai préféré m'offrir une sorte de congé sabbatique. Pour écouter. Écouter les mots qui sortaient des autres. Et j'ai compris : les mots ont une telle force, une telle vigueur, une telle férocité aussi. Ils ne pardonnent rien et révèlent tout. On peut recomposer le passé d'un être grâce ou à cause d'eux. Un vocabulaire, une élocution et on renifle un triomphe ou une défaite, la crainte ou l'assurance. Il m'a donc paru essentiel de me saisir des mots.

C'était vraiment pas daube ce qu'il disait. Un truc qu'elle avait senti sans pouvoir l'expliquer, parce que... ben, parce que pas mal de mots lui faisaient défaut. Décidément, elle allait poser son sac un peu plus longtemps aux côtés d'Edmond.

– Pourquoi tu les as traités de « bourreaux incultes » ? Je veux dire, y avait d'autres trucs à leur balancer ?

– Parce que les termes étaient adéquats. Savez-vous que « culture » possède la même origine latine que « culte » ? De *cultus*, le participe passé de *colere* qui signifie « honorer », « adorer ». Ce qui nous donne la certitude de notre humanité, c'est une culture. On adore un dieu en lui consacrant un culte et on honore les hommes en partageant leur culture. Pour en revenir à nos deux tristes bourreaux, imaginez-vous, jeune fille... nous étions de la même langue et je comprenais à peine leurs injures. Et cela, c'est grave.

– Pourquoi ?

– Avez-vous entendu parler de la tour de Babel ?

– Euh... c'est où ?

– Dans la Genèse... la Bible... juste après le Déluge. Les hommes venaient d'être punis, je devrais dire exterminés, Dieu étant affligé par leur méchanceté et leur corruption.

– Ouais, c'est des histoires de curés...

– Non. Il s'agit du Verbe. Ceux qui avaient été sauvés du Déluge par Noé parlaient tous la même langue. Malgré l'épreuve, leur ambition demeurait. Ils construisirent une tour, la fameuse tour de Babel, qui devait rivaliser avec Dieu. Celui-ci en perçut l'arrogance, peut-être aussi le danger. Il le prit très mal et constata : « Ils ont tous la même langue [...]. Rien ne les empêcherait de faire tout ce qu'ils ont projeté. » Et Dieu « confondit le langage de toute la terre, et les fils de l'homme cessèrent de construire la ville »[1]. Qu'il s'agisse pour vous d'un texte sacré ou d'une belle métaphore, ces lignes signifient que notre puissance naît de notre compréhension des mots des autres.

Les jours passèrent, raccourcissant à vue d'œil, comme pour anticiper la pingrerie que l'hiver installerait plus tard. Edmond et Émilou se racontèrent leurs vies, n'omettant aucune de leurs petites gloires ni de leurs grandes médiocrités. Les confidences allant, Émilou finit presque par trouver son existence distrayante, tant elle avait été terne auparavant. Edmond, qui avait fini par accepter de la tutoyer, conclut :

– C'est parce que tu vas en sortir. Tu es presque à l'extérieur, maintenant. L'humour devient facile lorsque l'on regarde du dehors.

L'hôtel où l'on tolérait qu'ils prissent des douches était situé non loin de Notre-Dame. Le portier de l'hôtel avait prié Edmond de dissimuler son Caddie

1. Genèse, 11 – 6, 8, 9.

assez loin de l'établissement. La perspective de laisser son chariot sans surveillance pétrifiait celui-ci. Puisqu'ils étaient maintenant deux, ils pouvaient établir des tours de garde, l'un allant se doucher alors que l'autre veillait au chargement. Bien qu'Émilou ne comprît toujours pas l'importance de cet amas de vieux bouquins, elle accepta la suggestion d'Edmond pour lui faire plaisir. Il ajouta :

– En général, je ne suis pas très long. Sauf lorsque quelqu'un a besoin d'une lettre. Aussi vais-je te proposer quelque chose, une expérience. N'aie pas peur.

– J'ai pas la trouille !

– Parfait !

Le lendemain matin, ils remisèrent le chariot sous le pont Marie. Avant de partir, Edmond tendit un volume à Émilou. Elle s'en saisit, une moue de franc déplaisir sur le visage.

– C'est quoi ?

– Un livre. *Le Bonheur des dames*, d'Émile Zola. C'est un très beau roman. Une histoire d'amour qui devrait te plaire.

– Bof, l'amour...

– Que sais-tu de l'amour ? Pas beaucoup plus que moi. Promets que tu liras au moins les trente premières pages. Allez, promets.

– Ouais... d'accord. Bon, ben, vas-y, mec, on passe pas le réveillon ici.

Elle dut s'y reprendre à plusieurs fois, les mots se formaient avec difficulté dans sa bouche, puis dans sa tête. Il fallait les dépiauter un à un, puis relire la phrase pour la comprendre. Ces deux années passées dans le désert des signes lui avaient fait tant oublier, beaucoup du peu qu'elle maîtrisait.

D'abord, la résistance des lignes l'exaspéra au point qu'elle s'obstina, et puis quelque chose se produisit qu'elle perçut à peine. Elle se sentit aspirée par ce petit magasin qui périclitait sous la pression d'un géant. Elle souilla le bas de sa robe de grosse toile dans les rues du Paris des pauvres. Elle serra les dents de rage et de frustration tant elle aurait aimé assener une beigne colossale à cette pétasse de mère Desforges lorsqu'elle humiliait Denise. Dans la foulée, elle tomba amoureuse d'Octave Mouret. Lorsque Edmond la retrouva, elle sanglotait. Émilou lui intima l'ordre de se taire d'un geste agacé de la main. Elle se promenait à la semaine du blanc, portée par l'hystérie acheteuse des clientes, frôlant des hanches les colonnes de tulle, froissant entre ses mains les bouillonnés fragiles et les satins impérieux.

Il attendit en souriant, contemplant la glissade calme du fleuve ou feuilletant un gros dictionnaire.

Quelques jours plus tard, elle aperçut au loin deux silhouettes inamicales. Les deux tarés de l'averse. Ils firent mine de s'avancer vers l'abri de fortune qu'Edmond avait monté à l'aide de gros cartons. Émilou se leva, s'avança de quelques pas, et se campa bien droite, jambes légèrement écartées, poings sur les hanches. Elle adopta une mimique qu'elle espérait sarcastique et surtout dissuasive. Les deux fondus hésitèrent, puis disparurent.

– Que se passe-t-il, Émilou ? demanda Edmond en levant le nez de son dictionnaire.
– Rien, j'ai cru... mais rien.

Parce qu'ils partageaient tout, les petits trucs hétéroclites que fauchait Émilou dans les magasins, les romans qu'Edmond pêchait pour elle dans son chariot et qu'elle dévorait en reniflant ou en pouffant, sans oublier les quelques sous que donnaient à Edmond ses anciens collègues de l'hôtel, la jeune fille lui confia l'avoir comparé à l'une de ces grandes araignées, les faucheuses.
– Non, il s'agit d'un faucheux. On dit aussi un « faucheur ». La Faucheuse, c'est la mort. Faudrait-il admettre qu'elle ait de grandes pattes ? Je ne le crois pas. J'ai rencontré quelques-unes de ses décalcomanies : des bipèdes, courts de membre, surmontés de visages indiscutablement humains. Nul n'avait l'élégance incertaine de cet arthropode... Les araignées ne sont pas des insectes, ce sont des arachnides, ajouta-t-il.
– Bref, c'est dégueu quand même !
– Pourquoi cela ?
– Ouais, euh... oui, d'ailleurs pourquoi je dis ça, euh... cela ?

Une semaine plus tard, elle lui avoua un minuscule secret. Pourtant, à ses yeux, il s'agissait d'une révélation, pire, d'une annulation, une sorte de grosse gomme à mémoire.

– En fait, je m'appelle Aurélia. Pas Émilou.

Edmond prit sa main et sourit à son regard.

– C'est si joli, Aurélia. C'est un prénom doux, qui remonte le temps. Comme l'Aurélien d'Aragon ou Marc Aurèle... quoi que cette dernière généalogie soit un peu tirée par les cheveux, je te le concède. Remarque, Émilou, c'est gentil aussi. Toutefois, cela ne m'évoque pas grand-chose.

Quand remarqua-t-elle qu'elle avait perdu son sac en vinyle fuchsia, avec son Rimmel, son téléphone, ses bâtons de rouge à lèvres ? Sans doute plusieurs jours après sa disparition. Elle se tassa en attendant la vague de panique ou de rage que ne manquerait pas de provoquer cette catastrophe. Au bout d'une très longue minute, la vague n'ayant toujours pas déferlé en elle, elle s'autorisa à reprendre son souffle et à se détendre. Mince alors ! Cela lui était totalement indifférent. En revanche, ce soir-là, une chose cruciale se déroula : Edmond lui expliqua à son tour son secret. Au demeurant, « secret » était un mot bien faible. Chef-d'œuvre eût été plus approprié. Le chef-d'œuvre d'un compagnon à l'issue de son tour de France. De son tour de lui-même. Edmond avait entrepris plusieurs années auparavant de décortiquer tous les mots du dictionnaire afin d'en compter les lettres. Son but ultime était de déterminer la plus usitée. Émilou en eut la chair de poule. Elle murmura d'un souffle admiratif :

– C'est un travail de titan !

Il acquiesça, sérieux :

– En effet. D'autant que le dictionnaire n'est qu'un outil. Tous les mots y sont couchés, sans indication de leur fréquence dans notre langue. Ainsi « herpe », par exemple, est-il beaucoup moins employé que « griffe ». Or ce qui compte, c'est une réponse fiable à la question : quelle est la lettre la plus utilisée par notre langue ? Il convient donc de prendre en compte les textes puisque ce sont eux qui conservent les phrases.

– Ce qui explique le Caddie. Que signifie « herpe » ?

– C'est exact. « Herpe » ? C'est une griffe de chien.

– Je comprends. As-tu la réponse à la question ? Je veux dire, quelle lettre utilisons-nous le plus souvent ?

Il soupira avant d'admettre d'un ton piteux :

– La tâche prend un temps fou, tu n'imagines pas. D'autant que c'est un travail qui ne peut se mener durant des heures. Cela exige une concentration très particulière. J'en suis au milieu du *l*, c'est-à-dire, pas même à la moitié.

– Si tu me dis quoi faire, je peux t'aider.

– C'est gentil.

– Sur cet échantillon d'un gros tiers, quelle serait la lettre la plus fréquente ? Excluons les *w*, *x*, *y*, *z* que nous utilisons peu.

– Oh, je ne suis pas d'accord. Nous nous servons pas mal du « Y », et puis il y a l'abondance des *m*, *n*, *p*, *r*, *s*, *t*. Ah... je sens que tu attends une réponse plus précise. Disons, avec toute la prudence requise, que je crois bien, du moins jusque-là, que le *e* remporte la palme.

Émilou réfléchit quelques minutes, passant en revue tous les mots qu'elle connaissait, et ces mois passés avec Edmond lui en avaient fait rencontrer un nombre étonnant.

– Cette conclusion me semble pertinente, s'entendit-elle prononcer.

Elle en resta bouche bée.

Edmond lui caressa la joue d'un revers de main osseuse. Il se retint pourtant de tout compliment. Par tendresse. Les compliments effarouchent parfois. Pire, ils font mal rétrospectivement en vous permettant d'entrevoir la profondeur du gouffre qu'ils comblent enfin. Il enchaîna :

– J'avoue : c'est une satisfaction. Je n'aimais vraiment pas le *a*... Une lettre si sournoise, si menteuse. J'irais même jusqu'à affirmer qu'il s'agit d'une lettre courtisane et traîtresse.

– Oh... Comment cela ?

– Si, je t'assure. Qu'avons-nous avec des *a* ? Limitons-nous au langage usuel et poussons même la générosité à ne retenir que les mots débutant par cette lettre. Amour, âme, ange, amitié, abri, absolu, accueil, adamantin, adoucir, agréable... j'en passe et des meilleures. Non, vois-tu, le *a* est un leurre dangereux.

– Il y a aussi : abdiquer, abrutir, ânerie, et même... anémie – ce n'est pas sain cela – ou abandon ! Attends, pire : assassin ! argumenta Émilou.

– Justement, ma jolie, on ne s'accroche qu'aux mots miraculeux, oubliant que l'absolu est souvent une ânerie et que les anges nous abandonnent à des amours anémiques qui nous abrutissent.

D'abord elle sourit, puis elle se leva et serra la tête grisonnante de l'homme contre son ventre. Il l'avait appelée « ma jolie ». Venant d'Edmond c'était si bouleversant. Le mot prenait toute son ampleur, occupait sa vraie place, comme s'il renaissait. Elle était jolie, c'est tout.

L'hiver passa. Il sembla moins vindicatif à Émilou que les deux précédents. Edmond lui donna à lire *La Mousson* puis *Le Chantier des rêves*. Émilou suffoqua dans la moiteur pesante d'un automne d'Inde, chassant sans les sentir les papillons de neige qui fondaient sur son front.

– Pourquoi ne choisis-tu que des histoires d'amour ?

– Qu'y a-t-il de plus intéressant ?

Elle faillit trouver la réponse lorsqu'elle rencontra Ziggy au détour d'un pilier du pont Marie. Elle frissonnait, les boucles serrées de ses longs cheveux retenant encore un peu de la vapeur bien chaude de la douche. Le sourire du jeune homme la chavira au point qu'elle n'eut plus froid. Étrange, il ressemblait un peu à Octave Mouret, du moins à l'image qu'elle s'en était forgée.

– Salut, je m'appelle Ziggy, et toi ? Je viens d'arriver dans les parages. Je voudrais pas gêner.

– Émilou. Cela ne nous gêne pas. Nous occupons un renfoncement, bien plus loin sur la berge.

– Nous ?

– Edmond et moi.

– C'est ton mec ?

Émilou chercha. Qui était Edmond au juste ?

– Non... mon père.

Après tout, elle n'en avait jamais connu. Si elle avait pu s'en choisir un, elle aurait voulu Edmond.

Elle revit Ziggy à plusieurs reprises dans les jours qui suivirent.

Il était beau et son sourire d'enfant la bouleversait. Ziggy avait beaucoup « tapé la route », comme il disait, remontant d'Espagne en Hollande, bifurquant par l'Allemagne pour revenir en France après un périple italien. Elle lui conta à son tour son histoire, n'en omettant que sa rencontre avec Edmond, trop complexe à expliquer.

Lorsqu'il tendit la main vers son visage, elle ferma les yeux. Lorsque sa bouche effleura la sienne, une boule de larmes remonta dans sa gorge. Il murmura contre ses lèvres :

– Pas maintenant, pas ici, trop craignos. Reviens ce soir, tu veux bien ?

Elle acquiesça d'un signe de tête, sentant que le moindre son libérerait une rafale de sanglots. Non, une risée. D'après Edmond, le mot se perdait. Il était pourtant si charmant.

Edmond écouta ses confidences avec attention puis l'encouragea :

– C'est de ton âge, jeune fille. Ne le laisse pas filer, les âges ne reviennent jamais.

Ziggy l'attendait, assis sur une couverture. Où avait-il déniché cette bouteille de vodka et ces paquets de chips et de gâteaux ? Il les lui offrit d'un geste cérémonieux :

– Cadeau. Pour toi.

Un froid mortifère la tira du coma au petit matin. Elle grelottait, nue, enroulée dans la couverture. La bouteille de vodka vide avait roulé plus loin mais son contenu tanguait dans son crâne, lui martyrisant les tempes. Ziggy avait disparu en embarquant ses vêtements.

La panique la dessaoula d'un coup. Émilou s'enveloppa dans la couverture et fonça pieds nus. Elle comprit avant d'apercevoir la forme désarticulée, avachie contre un des coins du chariot renversé. Des pages arrachées voletaient au-dessus des pavés, comme si elles tentaient de fuir la scène assassine. La jeune fille s'accroupit à côté d'Edmond et souleva doucement son visage ensanglanté, tuméfié par les coups. Une peine comme une lame impitoyable, un univers qui s'anéantit. Les deux bourreaux incultes étaient revenus, profitant de son absence ivrogne, sans doute orchestrée par Ziggy.

Il lui fallut plusieurs minutes pour allonger Edmond, sans le heurter. Elle dégagea son front des cheveux collés de sang et relaça l'une de ses chaussures de tennis. Elle récupéra ensuite tous les livres, toutes les pages échappées, et les rangea avec soin dans leur chariot qu'elle couvrit de la bâche.

Enfin, elle put hurler.

L'un des flics se tourna vers la jeune fille qui les avait escortés jusqu'au cadavre. Encore une histoire de clodo ! Il la détailla. Une jolie nana, avec ses cheveux bouclés si bruns et sa peau pâle. Elle portait une grande chemise de bûcheron sur un jean.

– T'as trouvé ce mec comme ça ?

– En effet.

– Tu le connaissais ?

– C'était un familier. Il s'appelait Edmond mais j'ignore son patronyme.

Quelque chose dans son maintien, dans ses phrases fit hésiter le policier. Le tutoiement lui parut soudain déplacé, sans qu'il sache trop bien pourquoi :

– Vous habitez dans le coin ?

– Le coin. Oui.

– Quoi ?

– Rien. J'habite le coin.

– Vous n'avez pas une idée de qui aurait pu le massacrer comme ça ?

– Non, pas la moindre.

Sa vie avec Edmond n'appartenait qu'à eux deux. Elle resterait confidentielle. C'est le privilège des plus beaux secrets. Aurélia allait conserver leur mémoire commune pour elle seule. Ainsi, elle la préserverait à jamais.

Sa vie d'avant, sa vie d'Edmond, s'arrêtait ici et maintenant.

– Bon, ben, on va faire embarquer le corps.

Aurélia demanda d'un ton calme :

– Puis-je reprendre mon chariot, s'il vous plaît ?

– C'est à vous, ces saloperies ? Vous gênez pas, ça fera des détritus en moins. Ah, au fait, comment vous vous appelez ?

– Aurélia.

Ami Edmond,

L'amour est un ange admirable. Il apporte à l'âme l'alphabet des mots sans lesquels on l'asphyxie.

Je t'aime.

Adieu.

Aurélia.

Le bout du bout

Dans un supermarché hard discount de province

Le regard accusateur de la tendre chatte angora, récupérée d'une amie décédée, passait de mon visage à son bac à litière peu engageant. Honteuse, j'ai foncé dans ce supermarché voisin où je fais parfois quelques courses. S'y mêle une humanité qui sait que le verbe « compter » se conjugue au centime près, ainsi que des gens comme moi qui n'y achètent que la litière, les produits d'entretien, l'essuie-tout, parfois un vin de petite propriété qui n'a pas à rougir de l'absence de présentoirs. Les cornichons aussi, ils sont croquants à souhait. Plus rares, quelques citadins en balade s'y s'arrêtent, s'étonnent de ne pas trouver d'huile de sésame bio ou de sauce teriyaki sur les rayonnages. C'est le genre d'endroit où ceux que l'on nomme « les démunis » se sentent un peu moins dépréciés parce qu'ils peuvent acheter de l'huile d'olive ou du vinaigre balsamique abordables. Une broutille ? Je n'en suis pas certaine. L'opportunité de s'offrir les mêmes gestes que les autres. Presque. Une infime mais réconfortante démonstration que l'on fait encore partie du lot.

On y croise des femmes plongées dans une difficile négociation avec un enfant qui convoite un paquet de gâteaux, ou un CD deux titres. Des petits vieux qui tentent parfois de piquer des sachets de graines à planter. Ils bafouillent, mains tremblantes, larmes aux yeux, lorsqu'ils se font immanquablement choper. Ils ne savent pas que le portique réagira à la paille magnétique glissée dans le rabat de l'enveloppe de semences. Le directeur du magasin n'est pas un vilain rat. Il a appris à distinguer l'impécuniosité de la fauche sportive ou désinvolte. Il hoche la tête et commente : « Ben oui, c'est tellement petit qu'on peut l'oublier au fond d'un sac. Mais faut le payer. » Les choses ne vont jamais plus loin. J'aime assez cet homme.

C'est un endroit où je me sens bien, en dépit de la sinistrose qui peint tous les linéaires. Les êtres qui le peuplent sont dignes. Ils se tiennent verticaux quand tout les pousserait à se coucher. Ils s'accrochent à leur courtoisie comme dernier luxe. On se tient la porte, on attend avec un sourire que l'autre ait remisé son Caddie, on demande pardon lorsque l'on s'attarde devant un rayon, bouchant l'accès. Il y a cette femme trop forte qui cède sur le paquet de nounours en guimauve bigarrée qui réjouit sa gamine. Elle remet en place le lait hydratant générique qu'elle allait s'accorder. Il y a ce prêtre qui pèse ses tomates jaunasses et dures. Il en repose une avec un sourire contrit. Il n'a pas assez d'argent pour faire la livre. Il y a cette vieille dame aux cheveux bleutés qui étudie un poulet d'un regard gourmand. Elle se contentera d'un sachet d'épaule de porc. C'est une élégante humanité en naufrage qui se cramponne à son savoir-vivre parce qu'il dit que nous sommes humains. Toujours. En dépit du reste.

Vous étiez devant moi à la caisse. Je ne sais pas au juste quel âge vous pouviez avoir. Trente, trente-cinq ans. Peut-être un peu moins ou un peu plus. L'alcool rend difficile l'évaluation de l'âge de ceux qui s'en remettent à lui. Vous portiez vos cheveux poivre et sel mi-longs. Vous tentiez une ultime parade. Vous aviez posé sur le tapis une bouteille de liqueur de whisky, une demi-baguette et un paquet de saucisses de Francfort qui ressemblaient à de longs doigts coupés, rouge orangé. Dix euros quatre-vingt-douze. Vous avez fouillé votre porte-monnaie, expliquant d'un ton à la politesse navrée que vous n'aviez pas eu le temps d'aller retirer de l'argent. Il n'y avait pas assez. Vous avez tendu votre carte bancaire. J'étais certaine qu'elle serait refusée. Embarrassée, j'ai tourné la tête, faisant mine de m'absorber dans la contemplation des gondoles de chewing-gums. La caissière vous a rendu votre carte, fournissant l'excuse qu'elle offre toujours en pareil cas :

– Elle ne passe pas. Les ordinateurs ont encore leurs humeurs.

Aimables ordinateurs qui endossent un dysfonctionnement afin de permettre aux fragiles humains de garder la tête haute. Bienveillante caissière qui voit défiler tant de déroutes qu'elle feint de ne pas les remarquer. Vous avez, bien sûr, rétorqué d'un ton anodin :

– C'est bizarre parce que je viens de payer avec... euh... dans un autre magasin.

La caissière, une brune sanglée dans une blouse bleue trop étroite, est parfaitement rodée. Elle a opiné :

– Vous savez... ces machines ! Quand ça fonctionne, c'est génial. Sans ça, ça fiche la pagaille.

J'ai regardé le tapis, vos maigres emplettes. Vous alliez abandonner les saucisses. La main sur mon sac, j'ai hésité. Vous offrir leur prix revenait à forcer une aumône que vous ne demandiez pas, que peut-être vous n'auriez pas tolérée. Il m'est resté une indélébile leçon d'une traversée personnelle du désert : ne jamais perdre la face. C'est la meilleure façon de remonter un jour la pente.

Vous avez décidé :

– Euh... J'ai juste assez pour le pain et le whisky. Tant pis pour les Francfort.

Gagné. Perdu.

Une fois dans la voiture, j'ai balancé le magazine féminin que je venais d'acheter. Un article racoleur promettait : « Être chic sans se ruiner ». Je n'y avais pas trouvé de manteau à moins de six cents euros. J'ai eu honte de ce monde, honte de moi, de mon incapacité à inventer un prétexte qui vous permette d'accepter sans humiliation le prix de saucisses en forme de doigts orange. La honte est un beau sentiment. Un sentiment à s'infliger à bon escient toutefois, parce qu'il vous ronge plus sûrement qu'une insulte qui fuse vers vous.

Vous étiez si élégant dans votre désespoir debout. J'ai redouté de vous offrir une obole quand je voulais seulement que vous vous nourrissiez d'autre chose que de whisky et d'un bout de pain.

J'ai pensé à vous, longtemps, vous imaginant devant votre demi-baguette, noyant dans un alcool d'économie une vie fourvoyée.

Ludovic ressortit du supermarché. Il avait craint à un moment que cette grande femme aux cheveux auburn, juste derrière lui, ne se rende compte de son mensonge, ne sorte son porte-monnaie pour lui tendre trois euros. Le coup de la carte bancaire paresseuse avait fonctionné. Un doute l'envahit. Vraiment ? Si. Voyons, si. La caissière y avait cru.

Il réintégra son HLM, barre affligeante de ciment gris défigurée d'imbécillités peintes à la bombe qui se revendiquaient œuvres d'art depuis que quelques tagueurs avaient été baptisés artistes conceptuels. La résidence des Loriots – rien que ça ! – avec sa vue imprenable sur des pelouses pelées, son ascenseur en panne six jours sur sept, ses interminables vociférations de voisins. Des gens comme lui, au bout du rouleau. Lui n'avait personne contre qui hurler, sauf parfois un pigeon qui se posait sur le rebord de sa fenêtre. Ludovic s'installa dans la cuisine de son deux-pièces, songeant qu'il devrait bientôt le quitter pour cause d'arriérés de loyers. Où irait-il ensuite ? Il n'en avait pas la moindre idée. Sous les ponts ? Ils sont rares en Perche. Peut-être dans la forêt. Des campements de fortune s'y montaient de bric et de broc : planches de chantier, morceaux de Placoplâtre, déchets de tôle ondulée. Des hommes et des femmes s'y rejoignaient pour survivre. Parfois des familles. La plupart travaillaient, se lavant et se rasant au matin devant des cuvettes remplies d'eau chauffée sur des gazinières de récupération. Étrange, n'est-ce pas, que le troisième millénaire, son insolente richesse, son ahurissante technologie, voie les hommes d'un doux pays de France retourner dans les forêts afin d'y vivre moins indécemment de leur labeur. À ce qu'avait entendu Ludovic, il se recréait dans ces espèces de bivouacs la solidarité de ceux qui savent qu'ils ne survivront pas sans l'aide des autres. Ou alors moins bien. Ce n'est pas tant qu'ils deviennent meilleurs. C'est juste qu'ils reprennent la mesure de leur vulnérabilité.

Une certitude brisa net le plan qui se formait déjà dans son esprit. Il n'aurait pas le courage. Il avait glissé trop bas, jusqu'au bout du bout, pour se reprendre. Il n'aurait jamais la force de requérir l'hospitalité de ces survivants qui luttaient pour demeurer debout. Il n'avait plus rien à offrir. Il se ferait jeter. Un pauvre type, une larve, un boulet : voilà ce qu'il était devenu. Ce qu'il avait toujours été, peut-être. Il termina son troisième verre de liqueur de whisky.

Pauvre type. Bien sûr que la caissière avait reniflé son mensonge. Elle devait l'entendre vingt fois par jour. La grande rouquine derrière lui aussi. Ridicule. En plus du reste, il était grotesque. Il siffla le quatrième, puis le cinquième verre. Pas envie de pain. Pas même pour éponger l'alcool. À quoi servirait d'éponger la seule chose qui lui faisait encore du bien ? Pauvre mec, lamentable et geignard ! Bute-toi, bordel, qu'on en finisse avec cette mauvaise mise en scène ! Ouais, c'est ça, Ludovic. Un peu de courage. Descends le reste de la bouteille et descends-toi ensuite. Ils se démerderont avec ton cadavre dont tu n'as rien à foutre.

Il passa dans la chambre, évitant à nouveau de constater son désordre et sa saleté. Une vilaine rambarde métallique qui arrivait au nombril protégeait du vide. Il se pencha et lâcha son verre qui explosa dans un claquement sec six étages plus bas. Il enjamba la balustrade, humant à pleins poumons, songeant que ces odeurs de gasoil et de vieille graille en provenance du fast-food voisin étaient les dernières qu'il respirerait. Il faut toujours se souvenir des dernières choses, si pathétiques soient-elles. Affligeant comme la vie nous semble acquise alors que nous devrions nous émerveiller de ses plus menues manifestations. Un pigeon qui se pose sur un rebord de fenêtre et le macule de fientes en roucoulant. Un chien qui aboie de bonheur en ramenant un morceau de bois à son maître. Un enfant qui trépigne de joie en découvrant un jouet rongé d'humidité dans un bac à sable. Un vieux monsieur qui rêve d'offrir des friandises à sa petite voisine mais n'ose pas, de peur d'inquiéter sa mère. Une très vieille dame qui nettoie les photos alignées de tous ses chers et tendres, leur parlant comme s'ils étaient encore de ce monde. Bref, les petits moments d'une vie qui nous semble évidente quand elle ne nous est que prêtée. Un CDD dont nous ignorons la durée.

Ouais, il avait peur. Le vent ébouriffait ses cheveux. Il devait avoir l'air crétin, à califourchon sur une rambarde hideuse. Plus qu'une jambe, Ludovic. Plus qu'une jambe à passer et c'est la fin bienvenue. Plus qu'une jambe et tu auras au moins réussi quelque chose dans ta vie. Ta mort. Bordel, passe-la cette foutue jambe !

Des poings assenés contre la mince porte de son appartement.

Une voix. Une très petite voix :

– Monsieur, monsieur... Je vous en prie... Mon papa va mourir... Y a personne... Y a personne, j'ai frappé à toutes les portes. Il saigne, monsieur. Il saigne beaucoup... Faites quelque chose !

Ludovic passa la jambe. La première, celle qui était déjà dehors, du côté de la mort. Il se traîna en titubant vers la porte et l'ouvrit pour découvrir la mignonne petite Black du septième. Elle avait l'air d'un bonbon cette gamine. Toujours les cheveux joliment nattés, retenus par de minces barrettes décorées de fruits ou d'étoiles de mer en plastique rose, jaune ou bleu. Polie, un sourire aux lèvres lorsqu'elle le croisait. Elle devait avoir neuf ou dix ans. La mère était morte deux ans plus tôt, un cancer. Le père avait perdu son boulot très vite. Le décès de sa femme l'avait laissé sans envie, sans énergie. Des gens bien, un peu trop secoués.

– Euh... Comment tu t'appelles ? Je me souviens plus.

– Stéphanie Thierry. Mon papa va mourir, sanglota-t-elle.

– Mais non... Il a l'air en bonne santé cet homme, balbutia Ludovic. C'est une baraque, une force de la nature.

Elle secoua la tête :

– Non ! Il est dans la baignoire. L'eau est toute rouge.

Ah merde ! Merde. Ludovic était en train de se suicider, tranquillement, sans emmerder le monde. Enfin. Et il fallait que cet abruti de voisin du dessus se trucide au même moment !

Écoute... Euh... Stéphanie, c'est ça ? Je suis pas complètement à jeun. Euh... Tu pourrais pas appeler les flics, plutôt ? Ou les pompiers. Ou l'ambulance, je sais pas.

– Le temps qu'ils arrivent, mon papa sera mort ! Je serai toute seule, monsieur. Je n'ai plus personne.

Que mon papa. C'est pas de sa faute. Il est très malheureux depuis que maman a rejoint le Petit Jésus. Moi aussi. Mais bon, il faut que je veille sur lui. Maman me l'a demandé. Vous devez faire quelque chose, monsieur. Je vous en prie.

Merde ! Il ne lui manquait plus que cette gosse affolée, ses grands yeux qui vous épinglaient comme si vous étiez un papillon rare.

– Bon... d'accord ! D'accord, on monte.

Ludovic la suivit dans les escaliers, chancelant, se rattrapant à la rampe. Elle lui prit la main, le menant vers la salle de bains. L'homme noir qu'il avait parfois salué dans le hall de l'immeuble gisait tout habillé dans la baignoire, environné d'une eau qui virait au pourpre, les genoux remontés. Il était trop grand pour s'allonger tout à fait dans le cercueil d'émail.

Ludovic, dans sa saoulographie, n'y avait pas songé. Une baignoire, le sang qui s'évade de poignets tranchés, l'onde lourde et rouge qui se dilue avec paresse dans l'eau tiède, c'est mieux. Plus digne que de se balancer d'un sixième étage. Ouais, mais plus risqué aussi. La preuve : une fillette paniquée était venue l'appeler à la rescousse. Stéphanie sanglotait, la main plaquée sur sa bouche afin de ne pas déranger. Teigneux, Ludovic lui lança :

– Écoute... Là, tu la fermes, parce que j'arrive déjà pas à penser.

– Sauvez mon papa, monsieur, s'il vous plaît ! Si vous appelez la police, ils vont m'emmener. Ils diront que mon papa n'est pas capable de s'occuper de moi. Ils me mettront dans un foyer. Je suis sûre qu'ils trouveront des gens gentils pour s'occuper de moi... Mais alors, mon papa mourra, c'est sûr. C'est pour cela que je n'ai appelé personne.

Ludovic considéra le petit bout qui lui faisait face. L'effroyable maturité des enfants de la débâcle. Il vitupéra entre ses dents, afin qu'elle ne l'entende pas.

– Pauvre mec ! Se suicider en laissant une gamine comme ça ! Toute seule.

Elle l'entendit pourtant et demanda d'une voix douce :

– Vous n'avez pas d'enfant, n'est-ce pas ? Pourquoi ? Trop de responsabilité ?

Exaspérante, la gamine.

– Ça va ! D'accord... j'ai pas eu d'enfant. Quand je t'entends, je me dis que j'ai peut-être eu le nez creux... au moins une fois dans ma vie.

– N'empêche... vous alliez mourir quand je suis arrivée, non ?

Elle lui foutait les boules, cette mioche.

– Bon écoute, c'est pas des trucs pour les gosses, bougonna-t-il tout en songeant que découvrir son père, les veines tranchées parce que la vie sait devenir si coupante, l'était encore moins.

Ludovic leva la bonde afin de vider l'eau de la baignoire. Sa manche de chemise ressortit rosée du sang de l'homme inconscient.

– Apporte des torchons qu'on fasse des bandages, lança-t-il à la fillette qui fila vers le salon.

Merde... Il devait peser au bas mot cent kilos, ce type. Cent dix ou cent vingt même.

Ludovic bagarra contre le corps inerte, tentant de le tirer de la baignoire trop courte. Il glissa sur le tapis de bain et son menton percuta le rebord blanc. Une bordée d'injures lui échappa. Il balança d'un coup de pied rageur le carré en éponge bouclette jaune canari. Une voix menue s'éleva, hachée de larmes, mais néanmoins réprobatrice :

– C'est pas poli, ça.

Il se retourna. Stéphanie tenait plaqué contre son ventre une brassée de torchons, de serviettes de table. La réflexion, si déplacée et pourtant si cruciale, le calma comme une douche glacée. On devient comme on se conduit. Se conduire dignement, c'est redevenir digne.

– T'as pas tort. En plus, ça ne soulage même pas. Écoute, je ne peux pas le soulever. Essaie de trouver une couverture et un oreiller. On va l'installer mieux. Pendant ce temps-là, je pose les bandages.

– Il est mort ? demanda-t-elle d'une voix tremblante.

– Dis pas de bêtises ! Regarde, il respire. Robuste carcasse. C'est pas le sang qui manque à un homme comme ça.

Stéphanie s'approcha de la baignoire et frôla de sa main la poitrine de son père. Les larmes dévalaient de ses yeux, coulaient en interminable filet le long de ses joues pour s'écraser sur le carrelage ocre. Un chagrin solitaire, grand comme le monde.

Il existe des chagrins, très rares, capables de retourner l'univers. Ils sont tissés d'une sorte d'infini désespoir dans lequel se rejoignent les moments les plus désintéressés des hommes. Ils nous bouleversent. Pourtant, nous les oublions vite. Dommage. Ce jour-là, Ludovic décida de ne jamais oublier le chagrin-de-la-salle-de-bains.

Ils installèrent l'homme trop grand, trop lourd du mieux qu'ils le purent. Ludovic apprit qu'il se prénommait Étienne. Combien de temps restèrent-ils là, serrés l'un contre l'autre, le dos appuyé au mur carrelé, assis sur des coussins que Stéphanie avait empruntés au canapé, surveillant le souffle d'Étienne ? Deux heures, trois ? Ludovic n'aurait su le dire. Ils parlèrent peu, à peine. C'était superflu. Ils savaient tout ce qui comptait de l'autre. À un moment, Ludovic se demanda comment réagirait Étienne lorsque la conscience s'imposerait à nouveau à lui. Serait-il soulagé d'avoir échappé à la mort ? Apaisé de ne pas avoir abandonné sa petite fille à la vie ? Au contraire, serait-il consterné que cette échappatoire lui ait fait, elle aussi, faux bond ?

Une voix grave le tira du demi-sommeil alcoolisé dans lequel il avait glissé.

– Pardon, ma chérie... oh pardon !

Stéphanie se précipita vers son père, se pencha pour couvrir son crâne de baisers. Indestructible du haut de ses dix ans.

– Promets que tu ne le referas jamais. Jure sur maman.

– Je jure.
– Jure sur maman, tempêta-t-elle.
– Je jure sur maman.
– C'est bien.

Ludovic se leva, les jambes engourdies. Il s'approcha d'Étienne qui le dévisagea.

– C'est notre ami, papa. C'est lui qui t'a sauvé.
– Non, c'est toi, rectifia Ludovic. Deux hommes adultes en un après-midi, jeune fille. Qui dit mieux ?

Ils burent un café, puis deux dans un mutisme de vieux compagnons. Déconcertante, la puissance des liens que crée une sortie de mort entre des êtres qui ne se connaissaient que d'un bonjour. Inespérée aussi.

Lorsque Ludovic redescendit chez lui, le soir était tombé. Il jeta un dernier regard à l'homme qui tenait par la main une fillette aux barrettes ornées d'étoiles de mer roses.

Il en voulait une pareille. Il voulait sentir une main aussi petite que celle-ci contre sa paume. Il voulait natter des cheveux tous les matins.

Demain, il irait acheter des barrettes. Il les avait vues au supermarché discount. On ne sait jamais : les modes passent si vite. Or, c'était décidé, sa fille aurait des barrettes à fruits et à coquillages. Ensuite, il dégotterait un boulot, payerait ses loyers en souffrance. Et Étienne aussi allait remonter la pente. Ludovic y veillerait. Pour Stéphanie. Parce qu'ils étaient maintenant amis de suicide raté. Après ? Il n'aurait plus qu'à trouver la femme idéale.

Mais d'abord, il allait faire le grand ménage de son deux-pièces, bouter hors de chez lui la crasse, le désordre. Il en avait soupé de constater chaque jour les preuves tangibles de sa glissade vers le bout du bout.

La guerre des Noëls

Dans la rue d'un petit village du Perche

J'ai déménagé, il y a quelques années, dans cette magnifique région du Perche, entrelacs de petites routes bordées de châtaigniers et de mûriers, généreux océan de collines. Il se lève au matin une brume qui stagne à hauteur d'homme, et qui estompe les contours des clochers ou des granges au point que l'on songerait parfois que l'on est seul au monde. Elle s'effiloche ensuite à regret, abandonnant une rosée tenace qui persiste parfois jusqu'au soir.

Le Perche est une métaphore. Ou alors une série de métamorphoses. Il évoque pour certains la Normandie, le Connemara ou le nord de l'Angleterre, et me rappelle l'Écosse. J'y retrouve le même semis de maisons robustes et isolées, plantées au milieu d'étendues de champs. Parfois, des petites grappes de villages rompent cette élégante solitude.

Mon sens de l'orientation frisant le grand néant, je me perds encore souvent dans le coin. J'aime beaucoup m'égarer, du moins avec le réservoir plein. Il y a dans ces involontaires bouleversements d'itinéraire un étonnement, une délicieuse angoisse contre lesquels aucune balade programmée ne peut rivaliser. L'impression que le destin s'en mêle pour vous mener où vous ne seriez jamais allé. C'est la raison pour laquelle j'hésite encore à équiper ma voiture d'un GPS. Ou alors amovible... Je ne l'installerais que les jours où le temps m'est compté. En revanche, les autres, je m'en remettrais à mon absence totale d'intuition de l'espace et des directions.

Or donc, ce début de soirée de la mi-décembre, je m'étais à nouveau perdue. Ma destination n'était pourtant pas très éloignée de mon domicile. Étrangement, je me retrouvai à l'opposé une demi-heure plus tard. Je traversai un petit village au ralenti, espérant croiser un passant à qui demander mon chemin. J'aperçus l'un de ces panneaux municipaux sur lesquels figure le plus généralement un plan, accompagné d'annonces allant du recensement à l'inscription sur les listes électorales en passant par les heures d'ouverture de la mairie. Je me garai et me plantai devant ledit plan. Seules y étaient détaillées les vingt rues de la bourgade. Perplexe, je scrutai les environs à la recherche d'autochtones capables de me renseigner. Au bout de la longue rue en pente, deux silhouettes. À mesure que je m'approchais, je compris qu'il s'agissait de deux hommes plongés dans une vive ou une palpitante discussion. Des bras s'élevaient pour retomber, des torses s'avançaient pour reculer, des semelles piétinaient le trottoir comme si l'envie de courir les démangeait.

Des bribes de conversation, ou plutôt de dispute, me parvinrent, gagnant en netteté à chacun de mes pas. Un des deux hommes, une casquette de base-ball rouge enfoncée sur les oreilles, s'époumona :

– Si, d'abord... t'es dans la surenchère, Gilbert... Rien que pour m'emmerder !

– N'importe quoi ! Si tu crois que ton avis m'intéresse... Rien à foutre de ce que t'en penses...

– T'as toujours été comme ça... J'ai une console de jeux, y t'en faut une... Je plante un rosier, toi c'est deux. N'empêche qu'ils sont tartes, tes rosiers. Mariette et moi, on a choisi de la qualité. Toi, tu voulais faire nombre, alors t'as mégoté.

– Tu te la pètes, mon gars ! Qu'est-ce que tu crois, à la fin ? Que je passe ma vie à épier ce que tu fais ? Comme si t'étais un modèle ? Mais regarde-toi, Roland !

– Tout juste. La preuve : c'est quoi, ça ?

Roland, l'homme à la casquette de base-ball rouge, tendit un bras vindicatif en direction d'un des deux pavillons années soixante situés derrière lui, insistant d'un ton hargneux :

– Hein, c'est quoi ?

Parvenue à vingt mètres d'eux, je sentis un flottement chez Gilbert. Suivant le doigt accusateur, je tournai la tête. Trois pères Noël lilliputiens escaladaient des échelles de loupiotes incluses dans des tubes en plastique. L'un d'eux s'était accroché au rebord d'une fenêtre, l'autre se hissait vers le toit, quant au dernier il agrippait fermement une descente de gouttière. Mon regard passa à l'autre pavillon, séparé du premier par une étroite allée bordée d'une clôture. Un seul père Noël le prenait d'assaut, son ballot blanc supposément rempli de présents sur le dos. En revanche, le jardinet qui précédait la maison ressemblait à la devanture d'un magasin de luminaires. Des silhouettes faites de tubes lumineux s'y massaient, éclairant le soir tombant à la manière d'un pouls. Un renne, dont les longues oreilles et le museau humanisé m'évoquaient un Bambi égaré, tirait un traîneau dans lequel un père Noël débonnaire saluait les voisins d'en face. Un approximatif puits jouxtait un moulin de un mètre de hauteur. Pourquoi un moulin hollandais en compagnie d'un père Noël dont nul n'ignore qu'il est originaire du Grand Nord ? Je n'eus guère le temps de m'interroger plus avant sur cette association géographique.

Gilbert, outré par les accusations qui pleuvaient, rugit :

– Pourquoi ? Ta femme et toi, vous avez le monopole des pères Noël ? Y a que vous qu'avez le droit d'éclairer votre maison de décorations ?

Mauvais, Roland crispa les poings et avança d'un pas, hurlant sous le nez de son contradicteur :

– J'ai jamais dit ça ! Le problème est ailleurs. C'est pas pour faire joli que tu mets des décorations, c'est pour essayer de nous écraser.

Plantée à dix mètres, l'inquiétude me gagnait. Parti comme c'était, ils allaient en venir aux mains. Mauvaise limonade. Plongés dans leur altercation qui virait à la rixe, ils ne m'avaient même pas aperçue.

Dans ce genre de cas, je compte – parfois avec un optimisme un peu abusif – sur une particularité très attendrissante des hommes de plus de quarante ans. L'arrivée d'une femme inconnue leur cloue le bec tant ils craignent de passer pour des goujats, des brutes, bref des pauvres types. J'en ai fait l'expérience à maintes reprises. Une femme pénètre dans un café où s'échangent des bordées d'obscénités et un silence pesant et gêné s'installe aussitôt. Les plaisanteries grasses et les noms d'oiseau voleront à nouveau dès qu'elle sera ressortie. Le temps de sa présence, tous se tiendront sages, roulant les dés, allumant une cigarette, la jaugeant d'un regard en biais.

Forte de cette réjouissante règle, je signalai mon existence par une série de toussotements très artificiels. Ils se tournèrent d'un bloc vers moi. Du ton de la dame qui venait tout juste de parvenir à leur hauteur et qui, surtout, n'avait rien entendu de leur échange musclé, je m'enquis de ma destination, expliquant que j'avais dû opter pour une mauvaise direction. Ce fut à celui qui m'offrirait le plus de détails, d'indications propres à me guider saine et sauve jusqu'à mon but. Je les remerciai et les quittai un peu rassérénée. Hors litiges gravissimes, il est rare qu'une dispute douchée renaisse de ses cendres.

Mariette n'aurait pas à soigner les plaies et bosses de son Roland. Du moins ce soir-là.

J'avoue : le surlendemain, la curiosité me tenait. N'y résistant plus, je repartis pour le petit village où je m'étais égarée. Je descendis avec lenteur la rue en pente et m'arrêtai le long du trottoir désert. Deux nouveaux pères Noël grimpaient le long de la façade du pavillon de Roland. Gilbert n'avait pas chômé non plus : une silhouette de sapin en tubes lumineux trônait au beau milieu de son jardinet. D'autres lianes lumineuses grimpaient le long des arêtes de la maison pour en souligner le toit. À la nuit, leur scintillement devait commencer d'évoquer celui d'une nova de belle magnitude.

Je m'accordai une nouvelle vérification l'avant-veille de Noël. La nuit tombait lorsque j'arrivai dans le village. La stupéfaction faillit me faire caler. À deux cents mètres devant moi, un gigantesque brasier trouait l'obscurité. Les deux pavillons semblaient en feu. Pas un centimètre carré de jardin, de mur, de fenêtre, de rambarde ou de marche n'avait été épargné par les ajouts lumineux. Même la glycine avait été sommée d'accepter la guirlande qui sinuait à la manière d'un cobra autour de son tronc noueux. Tout cela clignotait avec une saisissante énergie. J'évaluai les deux pavillons, les astuces afin d'ajouter quelques ultimes kilowatts susceptibles de départager les belligérants. Objectivement, ils étaient ex aequo. Qu'allaient faire Roland et Gilbert maintenant ? À moins d'illuminer leur intérieur et leur voiture, sans oublier leur épouse respective, ils étaient coincés. La guerre des Noëls cesserait-elle faute de place ?

Roland Morin remonta chez lui. Ça, il lui avait envoyé dans les dents, à Gilbert, ce qu'il pensait de lui. Il était à deux doigts de lui aplatir son poing sur la figure lorsque cette dame perdue était arrivée à leur hauteur. Il pouvait la remercier, le Gilbert ! Parce que Roland était peut-être plus petit et plus âgé, mais les nerfs ne lui faisaient pas défaut !

Ça faisait des années que ça couvait.

Quatre ans plus tôt, Mariette et lui avaient suivi un reportage sur les Noëls américains à la télé. Ça les avait scotchés, cette profusion de décorations, de sujets, ces enrubannements. On y sentait la gaieté, le moment différent. D'accord, ils avaient vu des choses plus ou moins réussies, des gens qui chargeaient un peu trop la mule. Pourtant, l'émouvante gaminerie de ces collectionneurs de décorations changeait agréablement de la sinistrose du reste de l'année. Roland avait parfaitement compris les arguments de cette femme obèse, sanglée dans un jogging rose, les pieds perdus dans d'énormes pantoufles Mickey. Une nana d'un État de cow-boys... le Wisconsin, peut-être. Le clignotement des lumières qui recouvraient sa maison lui mettait du baume au cœur, avait-elle affirmé. Les journées devenaient plus légères. Lorsqu'elle allumait le soir, un pincement délicieux lui faisait monter les larmes aux yeux. Elle se sentait redevenir petite fille, du temps où elle croyait aux contes de fées. C'était comme si elle avait enfin trouvé sa baguette magique. Tout devenait moins triste sous les lumières colorées.

Selon les Morin, Noël était la plus belle fête. C'est le moment où l'on se réconcilie, on s'offre des cadeaux. Qui dit offrir des cadeaux sous-entend penser aux autres. C'est peut-être le seul moment de l'année où l'on songe à mettre ses aigreurs dans sa poche, avec son mouchoir par-dessus. Bien sûr : fondées ou non, elles reprendront du poil de la bête dès le lendemain. Mais justement, ça prouve bien que Noël est un moment spécial. Autre preuve, blindante celle-là aux yeux de Roland : le reportage se terminait par ces pays, ces peuples qui ne sont pas de confession chrétienne, comme au Japon. Eh bien, il y en a pas mal qui fêtent quand même Noël, parce que c'est un moment de partage et de joie et qu'il n'en reste plus tant que cela. Mariette en reniflait d'émoi.

Ça avait tourné quelques jours dans leur tête. Un soir, Mariette avait lancé :

– C'était drôlement chouette, toutes ces maisons décorées à l'extérieur. Je trouve que c'est... comment dire... Tu vois, les préparatifs à l'intérieur de la maison, c'est pour tes proches, pour toi. Alors que là, finalement, ce n'est pas toi qui en profites le plus. Ce sont les autres, ceux qui sont à l'extérieur, ceux qui passent devant. Ça a un petit côté généreux. Une façon de dire « on ne vous connaît pas, mais on a envie d'échanger un sourire avec vous ».

Mariette était fine. Roland n'en avait jamais douté. Pourtant, ce soir-là, elle l'avait stupéfié en résumant ce qu'il ne parvenait pas à formuler. Un Noël d'étincelles, de feu d'artifice, sans autre mobile qu'un bonheur d'enfance. Pas comme leur traditionnel arbre maigrichon avec ses cinq étoiles en papier aluminium et ses guirlandes-plumeaux tristounes à souhait. Sans compter que, au bout de quinze jours, l'arbre pleurait toutes ses aiguilles sur la moquette du salon. Et puis, autant l'admettre, leur pavillon était très confortable, mais pas joli-joli vu de l'extérieur. À l'époque de sa construction, on se préoccupait surtout de loger des familles, beaucoup moins d'esthétique.

Décision fut donc prise d'« anglo-saxoniser » le prochain Noël. Ce fut le parcours du combattant avant de dénicher un Santa Claus grimpeur et des tubes lumineux qui cascaderaient de la rampe d'escalier. Ce n'était pas encore la mode – puis le raz de marée – en France.

Un plaisir fugace dérida Roland Morin. Quel succès ! Les gens s'arrêtaient devant leur pavillon, souriaient comme des gosses en découvrant le petit père Noël suspendu à la fenêtre de la cuisine. De parfaits étrangers l'interpellaient, s'extasiant, demandant où ils l'avaient acheté. L'espace de quelques instants, une inhabituelle cordialité se tissait. Grâce aux décorations lumineuses.

Il fallait s'y attendre : l'année suivante, quelques voisins les imitaient. Contrairement à ce que pouvaient penser Gilbert Loiseau et Clara son épouse, Mariette et Roland Morin avaient pris cela comme une sorte de validation de leur initiative. Les gens avaient admiré le résultat de leurs efforts, ils faisaient la même chose. Quoi de plus normal ? D'autant que les voisins en question avaient su garder une certaine modestie. Il ne s'agissait pas pour eux de rivaliser avec le couple précurseur du mouvement. Plutôt de contribuer au flot allègre de lumière qui enjolivait le village. Les Morin y avaient vu un compliment. Mariette avait trouvé la comparaison juste en lâchant :

– C'est comme quand tu fleuris tes jardinières de balcon. Les gens se disent : « Tiens, c'est plus gai, plus vivant, je vais faire pareil. » Au bout du compte, tous les balcons sont fleuris et c'est ça l'important. Parce que les fleurs, c'est vraiment beau. Bref, ça fait boule de neige.

Ils s'étaient esclaffés et Roland avait pris la main de sa Mariette.

Évidemment, Gilbert et Clara Loiseau s'étaient sentis obligés d'y aller de leur grain de sel ! Les choses avaient basculé dans le vilain. Gilbert avait accroché non pas un mais DEUX pères Noël à sa façade, sans omettre de grosses étoiles filantes clignotantes. Toujours la même chose. Il fallait que ce type fasse dans la compétition, dans la surenchère, quoi. Du coup, comme le disait Mariette, ça défigurait le sens de Noël. À bien y réfléchir, cette rivalité n'était pas nouvelle. Roland Morin avait reçu une console de jeux pour un anniversaire. Tout content, il avait invité les Loiseau à l'apéro, afin de leur montrer ce qu'il nommait son « joujou de grand petit garçon ». Eh bien, il avait fallu que Clara offre une console identique à son mari quelques mois plus tard. Pareil pour la voiture, le graveur DVD et même le banc de musculation ! Au début, Mariette, qui était brave fille, leur avait trouvé des excuses :

– Au fond, c'est plutôt flatteur... Loiseau te prend pour modèle.

Ouais... ben non ! On tente de ressembler à un modèle. Le but ne consiste pas à s'acharner à le surpasser. Surtout avec des bêtises de ce genre.

Pour en revenir à la concurrence des Noëls, pas plus tard qu'avant-hier, Roland avait découvert un TROISIÈME père Noël agrippé à la façade des Loiseau. Trop, c'est trop ! Il avait fulminé toute la journée du lendemain, sourd aux paroles conciliantes de sa femme. Conciliantes mais pas mollasses.

– Laisse aller, Roland. Ce sont des médiocres. Si ça peut leur donner l'impression d'exister, cette escalade, grand bien leur fasse. On ne va pas se miner pour ça. D'autant que, je suis désolée pour eux, mais notre jardin est bien plus beau que le leur depuis qu'on a installé le puits, le petit moulin et ce traîneau tiré par un renne. (Elle avait serré les mains de contentement en précisant :) Il est mignon, avec ses grandes oreilles. On dirait Bambi.

Des médiocres. Mariette avait trouvé le mot adéquat. Surtout quand on songeait à ce qu'ils avaient fait pour le couple Loiseau lorsqu'il s'était installé dans le pavillon voisin dix ans auparavant. On est prompt à se donner des coups de main dans les villages de province. Élagage d'un arbre trop haut, réparation d'un radiateur de voiture, prêt d'outils de jardinage ou de bricolage, arrosage d'un jardin lors des vacances. Les femmes font porter une part de tarte ou un pot de confiture par leurs enfants. Les « anciens » résidents aident les nouveaux venus – pour peu qu'ils soient sympathiques – à bâtir leur nid à leur tour.

Roland Morin n'avait pas décoléré de deux jours. Attention : il n'exigeait pas qu'on lui soit reconnaissant d'avoir eu le premier l'idée des décorations extérieures, ni d'avoir été à l'origine d'un processus qui embellissait transitoirement leur bourgade par ailleurs pas trop souriante. Mais quand même... En plus, si de nouveaux arrivants emménageaient dans le coin, à comparer le pavillon des Loiseau et des Morin, ils pourraient avoir la trompeuse impression que les premiers avaient été les initiateurs de l'invasion des pères Noël. Et ça, ça restait en travers de la gorge de Roland !

Du coup, lorsqu'au soir tombant Roland avait vu Gilbert sortir pour admirer ses décorations, un coup de sang lui avait échauffé la tête. Il avait rejoint son compétiteur au pas de charge pour exiger des explications, à défaut d'un mea culpa.

Heureusement que cette dame perdue, à moins de dix kilomètres de chez elle, les avait interrompus, parce qu'il était à un cheveu de lui enfoncer les dents dans le mur, au Gilbert ! Il voulait la guerre, le Loiseau ? Il allait l'avoir. Demain, à la pause de midi, Roland fonçait acheter les deux pères Noël qui lui manquaient afin d'égaliser le score. Il n'en collerait pas un quatrième sans provocation préalable, histoire de démontrer son absence de mesquinerie. Contrairement à Gilbert !

Gilbert Loiseau remonta chez lui à l'issue de son ébouriffage de plumes avec Roland, juste après l'intervention de cette dame qui devait s'égarer entre la boucherie et la boulangerie de son patelin. Clara non plus n'avait pas le sens de l'orientation. Elle se trompait toutefois avec une telle fiabilité qu'elle se révélait d'une grande aide. Il suffisait qu'elle conseille de bifurquer à droite pour qu'on soit certain qu'un tournant vers la gauche s'imposait. En revanche, elle savait déchiffrer une carte aussi rapidement qu'un copilote de rallye, sans jamais s'emmêler les crayons.

Gilbert se servit un fond de whisky en inspirant profondément. Ses mains tremblaient. En toute franchise, à un moment, il avait vraiment cru que Roland allait lui expédier un pain. Un gros pain. Ce n'était pas l'éventualité d'une castagne en pleine rue qui l'avait secoué. Plutôt la conviction soudaine que quelque chose d'irréparable se produisait. Les Morin avaient été vraiment chouettes lorsqu'ils s'étaient installés dix ans plus tôt. Des gens serviables et enjoués mais discrets. Pas du genre à débouler chez les voisins au moindre prétexte. Bref, des gens à côté de qui il faisait bon vivre.

D'accord, il l'admettait : quatre ans plus tôt, lorsqu'ils avaient vu le premier père Noël suspendu à la façade du pavillon Morin, Clara et lui avaient trouvé cela tellement génial qu'ils avaient remué tout le département afin de trouver le même. Ils n'étaient parvenus à le dénicher qu'après le réveillon, au moment où les décorations étaient soldées. Deux Santa Claus pour le prix d'un. Ça ne se refuse pas. Du coup, ils s'étaient également offert les étoiles filantes. C'est comme cela qu'ils s'étaient retrouvés l'année suivante avec davantage d'enjolivements que leurs voisins. Rien à voir avec une espèce d'émulation crétine, contrairement à ce que lui avait balancé Roland au visage.

Gilbert s'interrogea. Peut-être qu'il aurait dû s'expliquer au lieu de s'emporter à son tour. Cependant, l'accusation l'avait mis hors de lui, surtout venant de Roland, qu'il considérait comme une sorte de grand frère. Enfin, avant tout à l'heure.

Au fil des années, tous les habitants, ou presque, de leur petit village s'y étaient mis à leur tour. Ça brillait de tous côtés. On aurait dit un de ces charmants hameaux de dessin animé. Des gens des bourgades voisines venaient se balader chez eux à la nuit tombée. Au fond, les habitants offraient à des inconnus un spectacle désintéressé et sans arrière-pensée. Les Loiseau s'étaient pris au jeu. Ils sillonnaient les rayons des jardineries dès après le 25 décembre pour faire provision de décorations soldées. Jamais ils n'avaient eu dans l'idée de rivaliser avec qui que ce fût. C'était davantage le plaisir de faire une surprise aux autres, de les étonner d'une trouvaille. Gilbert avait le sentiment hilarant de se retrouver en culottes courtes dès le 20 décembre, lorsqu'il branchait toutes les silhouettes, accrochait les pères Noëls. Grimpé sur l'échelle, il pouffait tout seul.

Peut-être que Roland Morin était calmé et qu'il devrait lui téléphoner pour assainir la situation ? Non. Il allait passer pour un fautif, ou pire, pour une andouille. Il ferait mieux d'en discuter avec Clara. Elle avait plus de doigté dans ce genre de circonstances.

Le lendemain soir, lorsque Gilbert Loiseau rentra chez lui du travail, il pila net sur le trottoir. Deux nouveaux pères Noël escaladaient la façade du pavillon Morin. L'exaspération le disputa en lui à une peine diffuse. À tous les coups, c'était une revanche. Cela impliquait, entre autres choses, que Roland n'avait pas décoléré et lui en voulait toujours. Il trouva Clara dans le noir, assise à la table de la cuisine.

– Ça va pas, chérie ?

– Non... Tu as vu les nouveaux pères Noël ?

– À l'instant.

– Ça m'étonne vachement de Mariette et de Roland. Ça me déçoit aussi, soupira-t-elle. Je ne les voyais pas comme ça. C'est vraiment nul. On croirait une riposte, comme si on avait fait quelque chose pour leur nuire.

– Je peux allumer ?

– Oui, oui... J'avais la tête ailleurs.

Lorsque la lumière du plafonnier inonda la cuisine, Gilbert comprit que non, elle n'avait pas la tête ailleurs. Elle avait pleuré.

La rage monta. Ah non ! À la limite, il voulait bien prendre un coup de poing, mais il ne supporterait pas qu'ils fassent du chagrin à sa Clara qui n'aurait pas fait de mal à une mouche, même si la bestiole l'avait provoquée. Roland voulait la guerre ? Il allait l'avoir.

Le lendemain, Gilbert mit à profit un jour de RTT. Au soir, une large silhouette de sapin trônait au beau milieu du jardinet Loiseau. Il ne s'était pas arrêté en si bon chemin : d'autres tuyaux lumineux surlignaient les arêtes de la maison ainsi que le toit.

Le conflit vira progressivement à la guerre de tranchées, chacun profitant de l'absence de l'autre pour ajouter qui une guirlande lumineuse ou une cloche clignotante, qui des silhouettes d'angelots ou des lianes scintillantes aux branches d'arbres. Les deux hommes ne s'adressaient plus la parole, claquant la porte de leur pavillon dès que l'autre montrait le bout de son nez. D'abord distraits par ce qu'ils pensaient n'être qu'une sorte d'amical concours, les autres voisins s'alarmèrent. La tension devenait palpable dans cette rue jadis chaleureuse. L'agressivité des deux hommes aussi. Seuls les vendeurs de décorations extérieures devaient se frotter les mains.

L'insomnie rongeait les dernières résistances de Mariette Morin. Le perpétuel clignotement des guirlandes lumineuses qui recouvraient chaque millimètre carré de leur pavillon s'ajoutait à l'appréhension sourde qui ne la quittait plus. Elle avait beau fermer les volets, tirer les doubles rideaux, le pouls lumineux installé par son mari la harcelait toute la nuit, incessants clignements d'yeux or et rouge de milliers de loupiotes. Quant à Roland, elle avait la terrorisante sensation de le perdre. Il restait planté derrière la fenêtre de la cuisine, surveillant des heures durant le jardinet de Clara et de Gilbert. À quoi pouvait-il penser ? Elle devenait incapable de traduire son époux. Elle qui s'était tant réjouie de ces derniers Noëls commençait à redouter, à détester l'approche du réveillon. Un pressentiment sinistre l'habitait.

La joyeuse Clara Loiseau en avait perdu l'envie de sourire. Marre de Noël, si ce n'est qu'une autre concurrence qui enlaidit tout. Elle tergiversa. Après tout, les femmes communiquent plus aisément, surtout entre elles. Et puis, elles pressentent les prémices du carnage, bien avant les hommes. Au rythme où allaient les choses, si elles ne calmaient pas leurs maris respectifs au plus vite, l'explosion ne manquerait pas de survenir. Pourtant, Clara Loiseau hésitait à sonner au portail de son ancienne amie, peut-être de crainte d'être rabrouée. Le hasard se substitua à elle. Ce 24 décembre au matin, elle percuta presque le chariot de Mariette dans une des allées de l'hypermarché. Clara remarqua sa pâleur, les cernes violacés qui lui dévoraient les yeux. Elles avaient une sale tête, toutes les deux. Sa voisine feignit d'abord de ne pas la connaître. Mais Clara Loiseau était décidée à vider l'abcès.

– Il faut arrêter ces bêtises, Mariette, des deux côtés. C'est trop. On s'aimait bien, non ?

D'abord pincée, Mariette se détendit :

– Tu as raison. Parfois, je me demande s'il n'a pas perdu les pédales. Roland, je veux dire. Ça devient une obsession, cette histoire de décorations. Chaque fois que j'essaie de calmer le jeu, il m'envoie paître. Bon, je t'avoue qu'au début, moi aussi j'ai été agacée. Ça me paraissait tellement nul, cette histoire de rivalité pour des pères Noël lumineux.

Les larmes aux yeux, Clara se défendit :

– Il ne s'agit pas de rivalité, Mariette. Tu connais Gilbert. C'est un bon gars, franc du collier. Roland, c'est un peu son grand frère. Alors, naturellement, il veut faire pareil. Roland plante un rosier. Gilbert trouve que c'est la meilleure idée du siècle, donc il veut aussi son rosier. Je t'assure... Ce n'est pas de la concurrence, ni même de l'imitation, du moins pas à ses yeux. C'est juste de l'estime, de l'admiration. Enfin... Ça, c'était au début. Là, ça ne va plus. Ça le bouffe, cette histoire. Puisque Roland ne veut plus être son grand frère... je ne sais pas... j'ai l'impression qu'il a décidé de le lui faire payer. Il est malheureux, il se sent coupable, mais il ne l'admettra jamais.

Elle parvint à retenir les sanglots qui lui obstruaient la gorge. Pas pour longtemps. Les deux femmes tombèrent dans les bras l'une de l'autre et fondirent en larmes avec un bel ensemble au milieu des pots de moutarde, des câpres, des sauces tomate et des huiles d'olive première pression à froid. Mariette Morin hoqueta :

– Oh, ma chérie... Ça me fait tellement de bien de pleurer avec toi. J'en avais assez de sangloter toute seule dans ma cuisine ou dans le garage quand je sortais la lessive du sèche-linge ! Je n'arrive plus à dormir, Clara. Ça va mal se terminer. Roland est à cran. Il se monte la tête tout seul. C'est pas que ce soit un violent, c'est même plutôt un gentil. Très gentil. Mais... Tu connais les hommes. Un coup de boule leur paraît toujours plus facile que d'articuler trois phrases.

Clara hoqueta à son tour, acquiesçant d'un vigoureux mouvement de tête.

Insensibles aux regards déconcertés, curieux, voire inquiets des clientes qui les dépassaient, elles reniflèrent longuement. Mariette, plus âgée de sept ans, se ressaisit la première. Affichant une autorité qu'elle était loin de ressentir, elle déclara :

– Bon... Il faut trouver la parade avant que cette histoire ne dégénère.

Toutefois, elle craqua bien vite et ajouta d'une voix tremblante :

– Je suis tellement soulagée qu'on soit sur la même longueur d'onde. Oooohhh... Tu m'as manqué, tu sais...

Clara lutta contre un nouvel afflux de larmes :

– Toi aussi, Mariette. J'ai décroché cent fois le téléphone... et puis, je n'ai pas eu le courage. Un jour, il y avait une promo sur des poêles magnifiques, en fonte... J'ai pensé que c'était le prétexte idéal pour t'appeler... Ben, je me suis dégonflée. Je suis lamentable !

Reprenant du poil de la bête, Mariette se redressa :

– Pas du tout ! Ça arrive aux meilleures d'entre nous. L'important, c'est de reconnaître ses faiblesses, et j'en ai eu, moi aussi. J'aurais pu téléphoner, j'étais l'aînée. Mais je pétochais aussi. Voilà ce que je te propose : on fait nos achats... (Elle se rembrunit.) Bonjour le réveillon ! Parti comme c'est, ça ne va pas être folichon, au point que je n'ai rien envie de préparer. Bref, c'est une autre histoire... Après les courses, on se rejoint à la brasserie du centre commercial devant un café liégeois et on réfléchit. Tous les coups sont permis. Tu m'entends, Clara ? Tous, même les plus bas... mais on sélectionne les plus efficaces et les moins dangereux, d'accord ?

– Oh... ça va déjà tellement mieux, Mariette. J'ai l'impression de revivre. Merci, ma chérie.

Un voile menaçant se déchira dans le cerveau de Clara. Enfin une solution ! Elles allaient trouver une solution. Elles allaient forcer le Noël de cette année-là à être aussi beau, aussi joyeux que ceux qui l'avaient précédé. Il lui sembla soudain qu'elle respirait à son aise. Une sensation de confort oubliée depuis des jours.

Deux cafés liégeois plus loin, elles avaient passé en revue toutes les possibilités, des plus ahurissantes aux moins envisageables, se transformant peu à peu en super-espionnes, en super-agents d'une Intelligence quelconque. Après moult tergiversations et interrogations ne demeurait qu'une parade. Efficace et sans danger pour leurs époux respectifs. Elles bousilleraient les transformateurs qui alimentaient les décorations lumineuses !

Clara écoutait religieusement Mariette. Pourtant, une inquiétude technique la gagna :

– Et ça se bousille comment, un transformateur ? demanda-t-elle dans un murmure, de peur qu'un des clients attablés ne l'entende.

– Facile. D'abord, tu débranches l'alimentation pour ne pas te prendre un méga court-jus. Ensuite, tu tapes dessus avec une masse jusqu'à le réduire en bouillie. Voilà !

Soucieuse, Clara Loiseau insista :

– Oui, mais... Gilbert va s'en rendre compte.

– Quelle importance ? Un petit voyou du voisinage. Un jaloux, un vandale. N'importe qui. Comme nos deux pavillons auront été saccagés, nos maris ne pourront pas s'accuser l'un l'autre.

Personne, hormis les décorations et les pères Noël, ne risquait rien. C'était tout simplement génial. Mariette la bluffait. Quelle concision, quelle organisation mentale ! Un poème. Un vrai poème.

Mariette Morin en transpirait. Le *timing* de l'opération était essentiel. Elle s'était ruée dans la cuisine, jonglant avec les casseroles, les plats, le four afin de grappiller les minutes fatidiques. Elle allait démolir cet abruti de transformateur installé par Roland. Au fil des heures, elle avait rendu le cube disgracieux responsable de tous leurs malheurs. Ce serait donc de façon jouissive qu'elle abattrait la masse sur lui. Salopard de transformateur qui leur avait pourri leur Noël et leur amitié avec les Loiseau. Il allait morfler ! Une haine difficile à contenir l'habitait. Elle aurait adoré sauter à pieds joints dessus, être organiquement, musculairement responsable de sa déconfiture. Elle-même et ses pieds. Cela étant, une masse serait plus définitive.

Clara Loiseau s'était dépêchée. Elle avait couru, dressé une élégante table de fête, allumé les bougies, préparé l'oie farcie, la sauce aux cèpes, les pâtes fraîches, la tarte à la rhubarbe que Gilbert aimait tant. Tout était en ordre. Elle allait la pulvériser, cette saloperie de transformateur. Elle allait s'acharner dessus. Des miettes. Il n'en resterait que des miettes !

La masse l'attendait dans le garage. La paix était à ce prix ? Pas de problème ! Elle s'y collait. Comme Mariette. Avec Mariette.

La sonnerie du téléphone la rattrapa alors qu'elle descendait vers le garage, vers la masse. Elle se détesta d'y répondre mais se rassura : elle allait expédier l'importun. Grave erreur. Sa mère, la seule personne qu'elle était incapable d'envoyer au bain en dépit de ses interminables récriminations et jérémiades. Affolée, elle écouta la narration en boucle – et pour la centième fois – des problèmes de santé de la vieille dame, pour la plupart imaginaires. Elle subit la description paranoïaque de toutes les persécutions dont elle était prétendument victime de la part du gardien de son immeuble, de ses voisins, des éboueurs, des chauffeurs de taxi et même des caissières de son supermarché. Clara tenta de s'en dépêtrer :

– Faut que je te quitte, maman. J'ai un truc hyper important...

– C'est ça ! Je t'ennuie. Tu n'en as rien à faire de moi. Avec tout ce que j'ai fait pour toi. Je suis...

La voix se cassa en sanglots. Clara en avait l'habitude, pourtant, chaque fois elle se sentait fautive, tout en sachant que sa mère tablait là-dessus.

– Je suis une pauvre vieille femme. Je devrais mourir. Ainsi, je te débarrasserais...

Toujours la même entreprise de culpabilisation à outrance. Clara aidait sa mère financièrement, elle supportait bihebdomadairement ses monologues qui ne tournaient qu'autour de ses aigreurs. Sa mère la voulait comme elle. Seule, mal aimée – ce que son caractère difficile justifiait –, bref, malheureuse. Merde à la fin ! Clara avait un Gilbert qui méritait qu'on s'intéresse à lui. Elle avait une bonne petite vie qu'elle n'avait nulle intention de laisser fuir. Et puis, elle avait une amie, une sœur. Une vraie. Mariette.

– Je sais que je t'ennuie... Je souffre le martyre. Les médecins sont tous nuls. C'est un cancer, j'en suis certaine. Un cancer des os, peut-être de la moelle épinière... Ou alors une sclérose en plaques. Tu sais, ces maladies qui te bouffent de l'intérieur...

En dépit de résultats d'analyses de jeune fille, d'IRM, de scanners plus que réconfortants, sa mère avait souffert d'au moins quinze effroyables pathologies de fantasme en quelques années.

Une infime révolte. Une rébellion qui faisait un bien fou à Clara. Elle raccrocha le combiné d'un geste sec. Merci, Mariette !

Clara allait se précipiter vers le garage lorsqu'un détail – un énorme détail – l'arrêta. Mince, Mariette en avait terminé avec la destruction du transformateur Morin. Leur pavillon était plongé dans l'obscurité. Soufflées, les décorations ! Elle fonça.

Elle dévala les marches de ciment qui menaient au sous-sol. Une voix joyeuse l'accueillit. Celle de son mari :

– Surprise, surprise ! Le patron nous a laissés partir une heure plus tôt.

La tuile ! La grosse tuile ! Ah là là... Comment allait-elle faire, maintenant, pour jouer à son tour les exterminatrices de transformateurs ? Et Mariette... Mon Dieu !

Un peu surpris, la télécommande de la porte du garage à la main, Gilbert Loiseau demanda :

– Ça n'a pas l'air de te faire plaisir ?

Clara parvint à sourire au prix d'un gigantesque effort :

– Si, si... mon chéri. Je...

Un rugissement lui coupa la parole. Une tornade assoiffée de vengeance se rua sur son mari, une lourde pelle brandie. Roland Morin, le visage violet de fureur, les yeux exorbités éructa :

– Ordure... ! Lamentable salopard ! Tu vas me le payer. Faut être une sous-crasse pour faire des trucs comme ça !

Clara hurla.

Mariette déboula en pleine crise de nerfs, tentant d'arracher la pelle des mains de son mari, criant à son tour :

– Arrête... Arrête, mais t'es malade !

Gilbert, planté au milieu du garage, bouche entrouverte, semblait changé en statue de sel.

Accrochée au manche de la pelle, Mariette sanglotait, bafouillant :

– Y en a marre de vos histoires débiles ! Vous êtes prêts à vous entre-tuer pour des pères Noël lumineux. C'est ça Noël, pour vous ? C'est nous, c'est moi ! Je te dis que c'est moi qui ai démoli notre transfo ! Clara devait faire pareil avec le leur.

La mention de son prénom tira Clara de sa tétanie. Elle fonça comme une flèche, récupéra la masse. Elle traversa le garage en diagonale, débrancha le transformateur et, avant que quiconque n'ait pu réagir, abattit de toutes ses forces son arme de destruction massive sur le cube gris.

L'obscurité soudaine. Le silence total. Trois longues secondes de stupeur.

Puis, une voix d'outre-tombe, celle de Roland :

– Merde... Je suis un vrai abruti.

Une autre, blanche, celle de Gilbert :

– Ben, je te suis d'un quart d'encolure, mon pote ! On fait la paire.

Une troisième, vacillante, celle de Clara :

– Euh... J'ai une oie fermière... avec une sauce aux cèpes... Accompagnée de pâtes fraîches et puis... une tarte à la rhubarbe. Largement assez... pour quatre.

Une dernière voix, balbutiante de soulagement, celle de Mariette :

– Oh... Une oie aux cèpes... c'est bon. Ça fait longtemps qu'on n'en a pas mangé... Hein, Roland ? Euh... ben alors, j'apporte le saumon fumé et le foie gras. Du vrai sud-ouest. Enfin le foie gras, je veux dire.

Deux coupes de champagne vinrent aisément à bout de la gêne qui retenait les deux hommes.

On rit beaucoup, on se quitta pompette à point d'heure en se promettant que, dès le lendemain, on s'aiderait à remplacer les transformateurs. Et puis, on décida que le plus marrant serait de faire les soldes de décorations extérieures à quatre. Comme des gamins lâchés dans une confiserie.

C'est chouette Noël, non ?

La folle du logis

Dans une station-service, de nuit

En dépit d'une taille et d'une carrure dissuasives auxquelles s'ajoutent un caractère marqué et une éducation qui ne m'a pas inclinée à la pétochardise, je déchiffre mon environnement immédiat à l'instar de beaucoup de femmes. Notre vigilance est différente de celle des hommes. Elle traque les signes semés par les autres, traduit les regards, les attitudes et les inflexions de voix, allant jusqu'à produire des ectoplasmes de danger plus convaincants que la réalité.

Un homme marche à la nuit dans une rue déserte. Il mettra un certain temps avant de s'inquiéter de l'écho de pas qui le suit. Une femme le remarquera aussitôt et se débrouillera pour distinguer qui se trouve dans son dos. Il s'agit d'une sorte de qui-vive presque inconscient qui ne nous abandonne jamais et bascule dans l'alerte lors des situations de menace potentielle.

Le petit signal rouge de la réserve d'essence me narguait au milieu du tableau de bord. Il devait être onze heures du soir. La journée avait été caniculaire et l'air de la nuit s'obstinait dans la touffeur.

Si mon souvenir était exact, ladite réserve contenait l'équivalent de trente kilomètres en carburant. J'étais encore à une bonne vingtaine de kilomètres de mon domicile. Combien en avais-je parcourus depuis que le témoin lumineux avait viré au rouge ? Et puis, était-ce bien trente, ou alors vingt ou dix kilomètres de grâce ? De surcroît, les jauges sont parfois capricieuses. En d'autres termes, étais-je vraiment certaine de ne pas rester en carafe à une bonne heure de marche de chez moi ? La réponse manquant de conviction, je décidai de m'arrêter aux pompes à essence d'un hypermarché. Désertes, les pompes. Je n'avais pas dévissé le bouchon du réservoir qu'un énorme poids lourd glissa vers moi, m'aveuglant de ses feux. L'inflexible puissance des camions m'impressionne. Des bribes du film *Duel* défilèrent dans mon esprit.

Vous l'ai-je expliqué ? Je suis dotée d'une vive imagination, qu'un de mes professeurs de français avait baptisée « la folle du logis ». Il ne s'agissait pas d'un compliment dans son esprit, loin s'en faut.

Étrangement, le poids lourd s'arrêta à la pompe située juste à côté de ma voiture. Ma paranoïa grimpa d'un cran. Je remarquai les claires-voies qui ponctuaient les flancs du gros véhicule. Une bétaillère.

Des bêlements s'en échappèrent, me serrant le cœur. Des bêtes que l'on menait à l'abattoir. Un implacable détail n'arrangea pas mes nerfs : lorsque le conducteur descendit de sa cabine, il avait chaussé ses Ray-Ban. En pleine nuit ! Ses inquiétants biceps saillaient sous une peau hâlée qui contrastait avec la blancheur de son marcel. J'appuyai comme une forcenée sur la détente du pistolet, songeant que je devais avoir assez rempli le réservoir pour atteindre mon domicile en évitant la panne sèche. Des bêlements plaintifs m'étonnèrent. Ils semblaient provenir de la cabine du camion. J'évaluai le temps qu'il me faudrait pour récupérer ma carte bleue et sauter dans mon véhicule, me morigénant tout à la fois : ce type avait juste besoin de faire le plein. Pas de quoi s'écrire un thriller !

Le routier se racla la gorge, claqua de la langue, sifflota. Bref, la panoplie complète des onomatopées et grognements du monsieur qui cherche à se faire remarquer. Le regard rivé sur la pompe à essence, je feignis de ne rien entendre. Re-toussotements, re-raclements. J'étais en apnée depuis quelques secondes, prête à fondre sur ma carte bancaire et à décamper. Enfin, je la récupérai et démarrai sans prendre le temps d'attacher ma ceinture.

Je soufflai de soulagement en sortant du parking de l'hypermarché. Pour peu de temps. Une marée de lumière inonda mon rétroviseur. Le mufle plat du poids lourd se rapprochait dangereusement de mon pare-chocs arrière. Mon cœur s'emballa. J'accélérai.

Des appels de phares m'aveuglèrent. *Duel*... Ah non, pas *Duel* ! En dépit de mes efforts pour le semer, le camion se maintenait à quelques mètres.

Je suis une conductrice paisible, le genre qui se cale dix kilomètres-heure sous la vitesse limite et s'y tient. Flirter avec les cent kilomètres-heure sur une départementale s'apparente, dans mon cas, à une aventure de l'extrême. Je les dépassai cette nuit-là.

À l'évidence, je ne parvenais pas à distancer la bétaillère. Changeant de tactique, j'enclenchai les feux de détresse et freinai progressivement pour m'arrêter cent mètres plus loin, sur une triste langue de bitume qui faisait office de parking. Que l'excité du volant me dépasse. Une bourrasque d'adrénaline m'électrisa lorsque je le vis s'arrêter à son tour et sauter de son véhicule, ses Ray-Ban sur le nez. J'enclenchai la première, mon pied écrasant la pédale d'embrayage, prête à décoller.

Soudain, le petit miracle coutumier. La peur cède toujours chez moi devant la fureur. La rage me suffoqua. Je repassai au point mort. Ce type n'allait pas me transformer en victime ! Ce type ne me ferait pas plier sous prétexte qu'il conduisait un quinze tonnes ! Je descendis la vitre, prête à en découdre.

– Euh... Madame... ?

L'hésitation qui transparaissait dans sa voix m'étonna.

– Ben voilà, je voulais juste vous demander quelque chose...

– Et c'est pour cela que vous collez à mon pare-chocs, à plus de cent kilomètres-heure, et que vous m'aveuglez ? fulminai-je.

Penaud, il bafouilla :

– Euh... J'voulais pas vous faire peur... Mais vous êtes partie si vite de la station-service que j'ai pas eu le temps de... enfin de discuter un peu, quoi.

Quoi ? Si ce type me faisait frôler l'accident pour y aller d'évidences météorologiques « Il fait étouffant ce soir, hein ? », ou pire, du plan « Et qu'est-ce qu'une petite dame comme vous fait dehors à cette heure ? », je l'agonissais d'injures.

– Euh... Vous aimez les animaux ?

Sa question et son ton d'urgence me laissèrent pantoise. La fureur tomba.

J'adore les animaux. Ils me calment et m'étonnent. Ils me font rire aussi. J'ai grandi parmi eux. Je leur dois une bonne part de mon état d'humaine.

– Oui, beaucoup, répondis-je, sèche et décourageante.

Il soupira de satisfaction.

– Ah, ben alors ça, c'est un vrai coup de bol, assura-t-il en ôtant enfin ses lunettes de soleil.

La conversation prenait un tour si insolite que j'en oubliai ma méfiance. Presque.

– Je m'appelle Jacky, me renseigna-t-il en me tendant la main par la vitre.

Je la serrai du bout des doigts, attendant la suite.

Incertain, il baissa les yeux puis se lança :

– Écoutez, c'est un peu dingue... Ça fait douze ans que je fais ce boulot... un truc comme ça m'est jamais arrivé. (Il marqua une pause et poursuivit d'une voix tendue :) Je ne peux pas laisser faire...

Avouons-le : je nageais en pleine confusion d'esprit. Ou ce type était siphonné, ou il venait de voir atterrir une soucoupe volante et nous nous rejouions un épisode des *Envahisseurs*, ou alors il me prenait pour une autre femme. Sa psy, peut-être ?

– Je veux pas abuser, mais... euh... vaudrait mieux que je vous montre de quoi il s'agit... Dans la cabine du bahut.. précisa-t-il en désignant la bétaillère du pouce.

– En pleine nuit ? Sur une route déserte ? Vous rigolez, là ? aboyai-je.

Il me considéra, sidéré, et s'exclama soudain :

– Ah non... Attendez... Vous croyez que j'ai un sale coup en tête ?

– Absolument !

– Oh non, madame, je vous jure... Vous n'y êtes pas du tout.

Ma maman m'a seriné jusqu'au tournis de ne jamais suivre des messieurs inconnus, même lorsqu'ils ont l'air inoffensifs. Pourtant, un instinct me soufflait que celui-ci l'était vraiment. Certes, il convient de se méfier des instincts. Ils traînent derrière eux la légion des cadavres de gens qui ont eu le tort de les suivre.

Un truc blanc sauta du camion et trottina vers ma voiture en bêlant à fendre l'âme. Un agneau. Il se colla aux jambes de l'homme, frottant du museau contre son jean en remuant de la queue.

– Ben voilà... C'était ce que je voulais vous montrer.

Du coup, je déverrouillai la portière et descendis de voiture.

Jacky se pencha, caressant la tête de la petite bête qui lui lécha les mains de bonheur.

Lorsqu'il releva le torse, le noisette de son regard brillait d'une lueur liquide.

– Je veux pas qu'ils l'égorgent, murmura-t-il. Faut l'emmener avec vous, madame. J'habite en appartement... sans ça... Je suis un gars réglo et j'ai bonne réputation. Je dirai qu'ils se sont plantés à l'embarquement, qu'ils ont compté une tête en trop. Ça arrive. Ils me croiront. Je veux pas qu'ils l'égorgent, répéta-t-il en hochant la tête de tristesse.

Ahurie, émue aussi, je bafouillai :

– Enfin, c'est ridicule... je ne peux pas adopter un agneau...

– C'est une fille, rectifia-t-il.

– Ah... ? Même une agnelle... J'ai trois chiens. Ça va virer au carnage !

– Madame... c'est très important. Quand je leur ai donné à boire, tous les autres se sont précipités vers l'eau. Elle... elle est venue tout de suite vers moi. Pourtant, elle avait soif. Elle m'a léché les mains. Elle voulait un câlin. Après, elle n'a plus voulu me lâcher. On a fait tout le voyage dans la cabine. Elle est super sage. Je peux pas la laisser abattre. Vous comprenez ?

Il tourna la tête et renifla, maladroit dans son chagrin imprévu.

Il existe des moments si déconcertants dans l'existence que l'on se demande si le destin vous a choisi pour participer à une expérience inédite. Une expérience dont on ignorerait le protocole. Il est alors tentant d'y voir un signe. Le signe qu'il fallait se trouver à cet endroit précis, à ce moment déterminé. Lui pour sauver une agnelle. Moi pour l'y aider. On a alors le sentiment que fronder le destin serait impardonnable.

Je ne me méfierai jamais assez de mes impulsions. Celle-ci ne dérogeait pas à la règle. Je m'entendis proposer :

– Bon... J'ai un copain qui collectionne les animaux. Je ne peux pas l'appeler. Il est trop tard. J'espère qu'il l'accueillera... Sans cela, je me débrouillerai autrement.

– Vous n'allez pas la tuer, hein ?

L'imbécile ! Je préfère manger une omelette plutôt que d'ébouillanter un tourteau. Mais elle me bouleversait, cette baraque d'homme avec ses biceps et ses Ray-Ban. Je répondis presque tendrement :

– Non... elle aura une longue vie de moutonne. Je vous le promets.

– Je vous remercie, madame. Vous pouvez pas savoir... Je savais pas quoi faire. Je pouvais pas la lâcher dans la nature. Elle serait repartie à la case zéro. Je la mets à l'arrière de votre voiture ?

J'acquiesçai d'un signe de tête. L'agnelle se débattit, refusant de quitter son Jacky.

Je serrai la main du routier sentimental. Il me plaqua contre lui, m'assenant de grandes claques dans le dos.

J'allais remonter dans ma voiture lorsqu'il m'arrêta :

– Euh... Je l'avais appelée Jenny.

– Va pour Jenny. C'est sympa.

– Elle va peut-être avoir peur...

– Je vais lui parler.

– Madame... merci.

Je démarrai, assourdie par des bêlements désespérés. Jenny avait grimpé sur l'appuie-tête et regardait la silhouette de son Jacky rapetisser. Il nous adressait de petits signes de main. Il accompagnait de tous ses vœux son agnelle.

Durant vingt kilomètres, je racontai ma vie à Jenny. Elle s'apaisa peu à peu.

Jenny est devenue une fringante brebis et la meilleure amie d'un poney shetland et d'une biquette du Tibet. Pourtant, parfois, je suis sûre que, lorsqu'elle lève la tête et regarde au loin, elle pense à Jacky.

La vraie recette de la brioche

Un samedi de courses,
dans la brasserie d'un centre commercial

Si le shopping-vêtements me lasse vite, le rite des courses hebdomadaires ne m'agace jamais. On en revient toujours et encore à la fascination qu'exerce la nourriture sur moi.

À l'affût de nouveautés que je n'achète que rarement, je retourne boîtes et sachets. Je m'émerveille d'innovations, me demandant combien d'heures de *brainstorming* échevelé a nécessité la conception d'une crème fraîche déjà additionnée de sel et de poivre. Encore plus astucieux, le double pot de yaourt aux fruits : le yaourt d'un côté, les fruits de l'autre. Le but ? Les mélanger une fois ouverts.

Je déchiffre les étiquettes avec un soin maniaque. Je ronchonne contre les suremballages superflus. Je traque les molécules nobles. S'ensuit une approche rationnelle qui convoque fibres, oméga 3 et 6, teneurs réduites en sel. Néanmoins, je me décide sur une envie : confectionner un plat, retrouver un goût, un fumet. Dernier plaisir collectif avant de me livrer à celui, confidentiel, du rangement dans le réfrigérateur : le passage en caisse. Je commente pour moi-même le contenu du chariot de mes voisins. Pas assez de légumes dans celui-ci. Trop de calories vides dans celui-là. Où sont passés les légumes secs dans cet autre ? Si je n'y prends garde, je finirai en vieille dame despotique, sorte de Doña Quichotte pourfendant nos sacs de victuailles, une table d'ANC[1] brandie devant elle.

Ce jour-là, mes emplettes enfournées dans le coffre de la voiture, je revins sur mes pas. Il était midi et demi. En plus de l'hypermarché, le centre commercial abrite un salon de coiffure, une teinturerie, un inévitable vendeur de téléphones portables, puisqu'ils pullulent maintenant, et une brasserie. La carte y est variée, peu onéreuse, les mets préparés avec soin, le service rapide et les patrons charmants. Autre avantage, la musique jazzy ou bluesy en sourdine vous épargne les bramements de certains chanteurs de variété qui confondent acrobaties vocales et belle tessiture. Le midi, l'endroit est bondé de gens comme moi qui terminent leur mission courses devant un déjeuner mérité, ou d'employés des entreprises et magasins voisins.

Je m'installai à l'unique table libre, égoïstement soulagée de ne pas me l'être fait chiper par le couple

1. Apports nutritionnels conseillés.

qui arrivait juste derrière moi. En bout de rangée, je n'avais à ma droite que deux autres clients. Une dame d'une jolie soixantaine d'années et un homme encore jeune. Son petit-fils, ainsi que je le compris rapidement. Vêtue d'une élégante veste prune un peu passée de mode mais égayée d'un châle fin, elle le couvait du regard. Lui émiettait nerveusement une tranche de pain, se mordant les lèvres, oubliant son assiette fumante. Lorsqu'il porta son verre d'eau à la bouche, ses mains tremblaient. Mon arrivée avait interrompu leur conversation. Je prétendis m'absorber dans la lecture de la carte que je connaissais par cœur. Leur échange reprit, à voix basse, tendue.

– Mais... il ne peut pas te licencier comme cela, mon chéri. Tu travailles pour lui depuis trois ans. Tu lui as toujours donné satisfaction jusque-là.

– Il a parlé de médiocre investissement dans l'entreprise.

– C'est une méprise, allons. Il faut rediscuter avec lui. Olivier sait très bien que nous sommes seuls. Nous vivons avec ton salaire qui n'est déjà pas énorme. Tu lui as expliqué pour...

Sa voix mourut dans un murmure apeuré. La tête obstinément penchée vers le détail des différentes salades, l'appétit commençait à me fuir.

– Bien sûr qu'il sait que tu es sous insuline, mamie. Comment voulais-tu que j'accepte cette mutation à Angers ! Qui se serait occupé de toi ?

– Chéri, je peux me débrouiller...

– Comme la fois où je t'ai retrouvée sans connaissance sur la moquette ? contra-t-il en levant le ton avant de jeter un regard furtif dans ma direction. C'est hors de question, tu le sais bien.

La peur est une réaction commune à toutes les espèces animales. Elle se renifle, à l'instar de tenaces effluves. Ils avaient peur. Tous les deux. Ils avaient peur pour l'autre. Ils sont précieux, les êtres qui savent s'oublier pour ne plus se préoccuper que de l'autre.

La patronne, une petite brune vitale, vint prendre ma commande. Un seul plat me restait en tête, celui que mes yeux n'avaient pas lâché depuis quelques minutes : une salade aurore, composée de poulet, d'avocats, de tomates et de pamplemousse. Sade chantait avec discrétion *Smooth Operator*. On m'enleva la carte des mains et je cherchai fébrilement un autre alibi de concentration. Je tirai de mon sac à main le mince horaire de train Paris-Le Mans, Le Mans-Paris et le consultai avec une application qui frisait l'obsessionnel.

La conversation d'à côté reprit.

– Tu sais, mamie... C'est terrible ce que je vais te dire... mais, à un moment, j'ai eu le sentiment qu'il prenait son pied en me mettant plus bas que terre.

La jolie dame leva le visage et protesta :

– C'est impossible, Régis. On ne peut pas se réjouir de priver un homme de son travail. Ce serait monstrueux.

– Je sais. Pourtant, je suis certain de ne pas me tromper. Il faut dire que... je me suis vraiment mal défendu. Il m'a coupé les jambes...

– Tu n'as pas à t'en vouloir. Il y avait de quoi avoir les jambes coupées. Si ce que tu me racontes est vrai, je vais aller lui dire deux mots à cette petite crapule ! Et ce ne sont pas ses mocassins sur mesure qui m'impressionneront, lâcha-t-elle d'un ton mauvais.

Les femmes aimantes possèdent un étonnant pouvoir de métamorphose. Brise caressante, elles peuvent se transformer en ouragan dévastateur l'espace d'un battement de cœur.

– Non, mamie, laisse tomber, je t'en prie. On va se débrouiller. Je vais vite retrouver autre chose. Je t'assure. Ne t'inquiète pas.

Ils ne prirent ni dessert ni café. Il n'avait presque pas touché à son assiette, preuve que son optimisme n'avait d'autre objet que de rassurer sa grand-mère. Je terminai ma salade, pensive. À quoi pouvait bien ressembler cette triste ordure d'Olivier ? Je songeais à la candeur de cette femme entre deux âges.

Mais si, madame. Bien sûr que des êtres se repaissent de leur pouvoir sur les plus faibles. Toutefois... n'est-il pas réconfortant d'imaginer que certaines d'entre nous parviennent parfois à leur faire mordre la poussière, sans même avoir de plan ?

Je ne me souviens pas avoir jamais eu de plan. Tant de rigidité dans le mot et dans ce qu'il évoque. En revanche, les buts ne m'ont jamais fait défaut. Il existe de multiples moyens de parvenir à un même but. Brise légère ou ouragan.

Olivier Surin suivit d'un regard distrait la retraite du dos. Celui de Régis Piat, l'échine contrainte d'un perdant, d'une victime. L'arc d'un flanc vaincu. Étrange comme ils adoptaient tous la même démarche, comme s'ils avaient peur d'être de trop. « Étrange » n'était pas le terme adéquat : ils *sont* de trop. Du moins Régis Piat l'était-il.

Olivier n'aimait pas les victimes. Elles ont un petit quelque chose qui agace et donne envie de les secouer, ou de leur tendre, au comble de l'exaspération, un mouchoir pour qu'elles essuient leurs larmes. Avant de dégager au plus vite l'espace qu'elles encombrent de leurs craintes perpétuelles. En l'occurrence, le bureau d'Olivier. On a presque l'impression que les victimes sécrètent une sorte de signal diffus, à la manière des phéromones d'insectes, un signal qui encouragerait l'autre à la prédation. C'est assez classique chez les animaux. Si l'un baisse la queue, se tasse au sol, les autres lui sautent dessus. Au contraire, s'il relève les oreilles et fait face, ses agresseurs se méfient, voire reculent. Ce qui compte n'est pas tant la force que l'on possède que l'étalage que l'on sait en faire.

Olivier sentait les victimes dès qu'elles pénétraient dans son bureau. Jusqu'à présent, il ne s'était jamais trompé. Il détestait également qu'on lui résiste. En fait, ce qu'il aimait par-dessus tout, c'était vaincre, mettre l'autre à genoux. Un plaisir confidentiel puisque nul, hormis lui, n'était informé de l'identité de ses futures proies et encore moins des règles du jeu de massacre qu'il projetait. Soyons logiques, mieux vaut ne pas communiquer les règles lorsque l'on est mauvais joueur et qu'on ne lance une partie que dans l'intention de la gagner. On peut ainsi modifier lesdites règles à sa guise et s'assurer la victoire. Certes, la chose manque un peu de panache et surtout de dignité, mais après tout on ne le payait pas pour faire dans l'humanitaire et encore moins dans l'élégance. Ceci est un monde de mâchoires, tant pis pour ceux qui ne l'auraient pas encore compris.

Au demeurant, la chose est aussi vieille que l'humanité. Il y a toujours eu des broyés et des broyeurs... Olivier pouffa : un peu sanitaire comme métaphore ! Ah, il était d'excellente humeur ce matin, un vrai feu d'artifice. La victoire, si facile fût-elle, le remplissait d'allégresse.

Le petit Régis avait repoussé la proposition de mutation qu'Olivier venait de lui faire : cette nouvelle affectation l'éloignerait de son domicile, donc de la chère grand-mère dont il s'occupait. Surin sourit : il avait coincé l'homme timide avec facilité. Même pas du grand art, plutôt le b.a.-ba de la manipulation. Un simple coup d'œil sur le dossier d'embauche de Piat l'avait renseigné sur le point faible, celui où il convenait d'attaquer : la grand-mère diabétique qui l'avait élevé. Les revenus de Régis ne lui offraient d'autre alternative que de s'occuper d'elle quotidiennement. Ils vivaient dans un petit trois-pièces, celui de la mamie. Nul besoin de finesse : Régis n'était pas assez retors pour entrevoir le piège qu'Olivier lui tendait. Il était évident qu'il refuserait cet éloignement, justifiant du même coup la mauvaise humeur hiérarchique en réponse à ce « médiocre investissement dans l'entreprise », assortie des inévitables brimades qui suivraient. Olivier maniait à merveille le crescendo des humiliations, des persécutions et de l'angoisse. Le petit gars pâle – qui parlait toujours comme s'il avait peur de voler l'air des autres – n'y résisterait que quelques mois. Haché, il finirait par partir. D'une façon ou d'une autre. Olivier pourrait alors embaucher SON candidat qui présentait l'avantage d'être son Gérald de beau-frère, le cadet de sa femme. Une jolie opération, ma foi. Gérald lui serait reconnaissant de le tirer d'un long chômage. Du coup, Olivier pourrait réduire son salaire de départ. De surcroît, sa femme serait ravie que son petit frère retrouve enfin du boulot. Ajoutons à cela de menus services que Gérald et son épouse soulagée ne manqueraient pas de lui rendre en signe de reconnaissance, comme garder les gosses lorsque le couple Surin partirait en week-end d'amoureux, ou repeindre leur cuisine. Sans oublier de se confondre en remerciements et de déborder de gratitude pour Olivier, le sauveur. Juteuse opération. Tout cela en échange de la tête du pauvre Piat. Un détail.

Surin se laissa aller contre le dossier de son fauteuil de cuir noir, basculant d'avant en arrière : le laminoir commençait le lendemain. Ses étapes étaient réglées à la manière d'une partition. Dès demain, Olivier réitérerait son offre de mutation, laquelle serait à nouveau refusée par Régis Piat. Devant l'obstination de son adjoint, il manifesterait une peine teintée d'agacement. Dans les jours suivants, la peine disparaîtrait peu à peu, au profit de l'exaspération. Au bout du compte, c'est Régis Piat, la victime, qui finirait par penser qu'il était coupable de son manque d'enthousiasme et d'envergure. Les brimades matérielles suivraient : retrait de la ligne de téléphone internationale, confiscation de la place de parking réservée, changement de bureau au profit d'un rabicoin aveugle à l'exception d'un petit vasistas en hauteur qui donnait sur l'arrière-cour du bâtiment. Commenceraient ensuite les accusations de fautes professionnelles. On omettrait de l'avertir d'une réunion puis on l'accuserait de ne pas s'y être rendu. Si des fournisseurs se plaignaient de retards, on les collerait sur le dos du petit Régis. Olivier trouverait parmi ses employés quelques faux-culs-lèche-bottes ou quelques autres victimes potentielles paniquées à l'idée de perdre leur emploi qui torcheraient des attestations de complaisance, certifiant que Régis n'avait plus la tête à son travail, qu'il commettait des bourdes, et que ses relations avec les autres devenaient exécrables. Ça plus deux ou trois petits mails bénins mais personnels afin de prouver qu'il consacrait son temps de travail à des pitreries, et le tour serait joué. L'artillerie classique, quoi. Dégommé, le Régis ! Et sans indemnités, encore.

Blanche joignit les mains sur ses genoux. Son doux Régis se cramponnait, au bord des larmes. Ces dernières semaines avaient été dévastatrices. Elle constatait, impuissante, l'avancée des ravages qui démolissaient son garçon. Elle l'entendait la nuit se retourner dans son lit. Il trouvait chaque soir de piètres prétextes pour abandonner son assiette à peine entamée. Il avait cessé d'aller à son club de sport et parfois, lorsqu'elle tentait de le distraire d'une petite anecdote survenue dans la journée, son regard se liquéfiait. Il rejoignait alors sa chambre à grandes enjambées, invoquant une urgence peu convaincante.

Il baissa la tête.

– Au fond, je crois qu'Olivier n'a pas tort. Je ne fais pas ce qu'il faut. Je ne suis pas à la hauteur, mamie.

– À la hauteur de quoi, mon chéri ?

– De ce qu'il attendait de moi.

– Ah... parce qu'il attendait quelque chose de toi ?

Le jeune homme leva les yeux et s'accrocha au bleu-gris du regard de sa grand-mère. Un chagrin douloureux comme un deuil sans fin coupa le souffle de Blanche. Pourtant, elle se contraignit à la placidité. Le deuil de son fils Jean, tué au volant d'une voiture alors qu'il rentrait d'un mariage en compagnie de son épouse. Régis avait cinq ans à l'époque.

Ce petit garçon trop sage, version miniature de son Jean, lui avait bouleversé le cœur avant de le lui dévorer tout à fait en devenant sa seule raison de s'entêter à vivre. Elle l'avait élevé du mieux qu'elle l'avait pu, s'efforçant de « rester dans le coup » pour gommer une génération excédentaire. Peut-être l'avait-elle trop couvé ? La terreur de perdre son deuxième Jean demeurerait sa seule excuse. Peut-être aurait-elle dû lui enseigner la dureté de la vie et la mauvaiseté de certains êtres ? Elle avait préféré ne lui apprendre que l'ouverture d'âme et la compassion. La malveillance glissait sur Régis. Il ne la comprenait pas, ne la voyait même pas. Comme son père avant lui. Ces deux-là ne possédaient aucune fissure à laquelle elle puisse s'accrocher. Aucun Olivier Surin n'irait contre cela. Blanche y veillerait.

– Il attendait mieux, Mamie. (Régis ajouta dans un sourire froissé :) Je suis décevant. Pour tout le monde, sauf pour toi, mais ce n'est pas pareil. Je ne suis pas... comment dire... pas un battant, tu vois.

– Ah, oui... un battant. Que ferions-nous si ce monde n'était fait que de battants et de battantes, comme tu dis ? Un beau pugilat en perspective. (Elle réfléchit et conclut :) Vois-tu, je crois que les battants ne sont jamais aussi intéressants que lorsqu'ils défendent les battus.

Régis caressa la joue sillonnée de fines rides et hocha la tête en soupirant :

– Tu ne comprends pas, mamie. Le monde a changé.

– Crois-tu ? répondit-elle d'un ton doux. Les techniques ont changé, les mots aussi. Cependant, le monde reste le même. Quant à nous, les humains, je doute que nous ayons tant évolué que cela. Les hommes demeurent ce qu'ils sont. Relis Marc Aurèle, Shakespeare, Balzac, ou Zola, mon chéri. Nous y sommes tous présents déjà. En parlant de techniques... j'ai vu chez le marchand de journaux une fabuleuse photocopieuse. Laser, en couleurs... elle fait une réplique conforme de l'original. On s'y tromperait.

Blanche tergiversa encore quelques jours, espérant un retournement favorable. Jusqu'au soir où Régis ne rentra pas dès après son travail. L'inquiétude fit place à la panique. Elle composa vingt fois le numéro de portable de son petit-fils, abandonnant des messages de plus en plus affolés. Elle arpenta deux interminables heures le petit trois-pièces, tournant autour du téléphone, s'apprêtant à bondir si la sonnerie retentissait, se faisant chauffer un café puis l'oubliant sur le rebord de l'évier, hésitant à appeler la police. N'y tenant plus, elle se rhabilla et fonça vers le parking. Elle sillonna les rues de leur petite ville, visitant les rares cafés encore ouverts à cette heure tardive, suppliant que l'impuissance ait poussé Régis à boire plus que de raison. Ainsi le retrouverait-elle ivre mais vivant.

Le pinceau des phares balaya la silhouette accrochée aux grilles qui protégeaient les lignes de chemin de fer. Une terreur rétrospective fit trembler les jambes de Blanche. Une prière, elle qui les avait toutes oubliées depuis la mort de Jean :

– Merci, mon Dieu. Merci de l'en avoir empêché.

Elle descendit de voiture au prix d'un douloureux effort et appela doucement, de peur de l'effrayer.

– Chéri. Il faut rentrer maintenant.

– Va-t'en, Mamie. Laisse-moi.

Centimètre par centimètre, elle se rapprocha de lui. Enfin, elle posa le front sur son épaule et sanglota :

– Qu'est-ce que je deviendrais sans toi ? Y as-tu songé ?

Il se tourna et la serra contre lui à l'étouffer.

– Pardon, mamie. Je suis viré dans trois mois. Sans indemnités. Olivier a constitué un dossier. Si tu avais lu ces témoignages de gens que je croyais mes amis... C'est dégueulasse ! Il... Olivier m'a prévenu qu'il m'envoyait la lettre de licenciement la semaine prochaine. Et il prenait son pied, cet enfoiré. Je l'ai senti. Il paraît qu'il veut récupérer mon poste pour le frère de sa femme.

– Je vois. Rentrons, Régis. On pourrait regarder un bon film, un de tes DVD. Même un truc de SF. J'ai décidé de m'y mettre. Je nous ferai un petit plateau. Qu'en dis-tu ?

Blanche se lamenta avec génie. Surin ne résista pas à la perspective du spectacle d'une seconde victime laminée par ses stratagèmes, implorant sa clémence.

Il était de la race des ordures jubilantes, bien que courtoises. Blanche l'avait compris aux demi-confidences de Régis.

Olivier Surin la rejoignit donc le lendemain dans un petit troquet, non loin du siège de la société, car, avait-elle pleurniché, « Elle en appelait à sa générosité, mais ne voulait pas que son petit-fils apprenne sa démarche ».

Cet après-midi-là, dans ce café, Olivier Surin eut une chance, une seule, d'infléchir la situation en sa faveur. Au cours des quelques minutes durant lesquelles il but son thé à petites gorgées en écoutant les arguments, la supplique d'une femme entre deux âges. Elle revint sur leur situation précaire, leur solitude, le décès prématuré des parents de Régis. Elle insista sur son diabète. Oh, certes, elle savait se débrouiller seule, toutefois son petit-fils redoutait un nouvel accident.

Une chance. Olivier la laissa filer. Il préféra savourer sa victoire. Peu judicieux.

Il porta l'estocade d'un mielleux :

– Je suis désolé, madame. En effet, je connais votre état de santé. J'ai tout fait pour remotiver Régis. Sans grand succès, je l'avoue. (Il soupira de tristesse. Pourtant, elle intercepta la lueur gourmande de son regard.) Un chômage, c'est pénible. Il n'y a pas tant d'offres que cela dans notre partie. Surtout dans le coin. Je m'inquiète pour vous. Cela étant, j'ai, moi aussi, des comptes à rendre.

Elle soupira, regardant la chance se volatiliser. Surin ne perçut pas le vide qui la remplaçait aussitôt. Blanche résuma d'une voix douce :

– Je comprends. Il y a d'abord le préavis de trois mois. Ensuite, tant que Régis touchera son chômage, on s'en sortira. Après... je ne sais pas. Peut-être faudra-t-il vendre l'appartement, je ne possède rien d'autre. Je m'en veux de vous ennuyer avec cela. Vous avez vos propres difficultés.

Blanche dut s'accrocher au bras du beau pardessus d'Olivier afin de sortir du bar. Une faiblesse soudaine. L'injection fut presque indolore. Il ne la salua que d'une brève crispation de front. Elle le quitta sur un sourire et traversa la rue, étrangement revigorée. Quelques secondes à peine. Il s'écroula entre deux voitures, terrassé.

Une redoutable association entre l'insuline et un médicament banal. Son médecin l'avait mise en garde, juste avant qu'elle ne photocopie l'ordonnance sur ce magnifique appareil laser couleur afin de doubler les quantités délivrées par deux pharmacies distantes.

Avec un peu de chance, Régis allait conserver son emploi et revivre. Leurs existences allaient retrouver leurs menus riens heureux. Ils descendraient le samedi de l'appartement pour se rendre au marché puis dans la galerie commerciale. Ils termineraient par un déjeuner dans cette petite brasserie. Parfois, son petit-fils rentrerait le soir avec un bouquet d'anémones pour elle, ou un livre. Il en avait l'habitude. Un jour – elle l'attendait depuis longtemps – il lui présenterait une jeune femme. Blanche se retirerait alors sur la pointe des pieds en espérant qu'on lui conserve une place. Elle pourrait ensuite découvrir, puis s'accoutumer à la grisante légèreté des choses puisque Régis serait heureux.

Des remords ? Pas vraiment. Certaines mamies sont trop tendres pour éprouver du remords. Elles ont eu une longue vie, assez longue pour apprendre à flairer les ordures. On a presque l'impression que les ordures humaines sécrètent une sorte de signal diffus, à la manière des phéromones d'insectes. Blanche les percevait. Révoltants remugles.

Oh, au diable tout cela ! Blanche ne souhaitait qu'une chose : protéger son Régis. Férocement s'il en venait à cela. Aucun Olivier Surin ne pouvait aller contre. Elle y avait veillé.

Quelle association de médicaments ? Chut... C'est comme une excellente recette de brioche. Enfantin quand on y pense. Toutefois, il faut le tour de main, et cela ne se confie qu'en intimité. En effet, la recette de la brioche est délicate d'exécution. Un peu de lait, de sucre, de levure, des œufs, de la farine, du beurre et une pincée de sel. Tout dépend ensuite de l'amour de la cuisinière.

Le retour au Vrai

Une bruine glaciale et tenace tombait ce soir-là. J'attendais que le feu situé juste devant le Palais de Justice de Paris passe au rouge, emmitouflée dans un imperméable, capuche rabattue aussi bas que possible.

Vous avez surgi, pilant au bord du trottoir, toujours vêtue de votre robe noire d'avocate, votre sacoche coincée sous votre aisselle, cramponnant d'une main un parapluie, de l'autre un portable. La voix péremptoire s'est effilochée. Vous avez crié, luttant contre l'affolement :

– Comment ça, la baby-sitter est partie ? Chéri, tu ne bouges pas de la maison, je saute dans un taxi. Tu n'ouvres à personne, tu m'entends. Répète... Voilà, à personne. Surtout, tu ne t'inquiètes pas. J'arrive, mon chéri, maman arrive. Allume la télé, regarde un dessin animé. Je suis là dans quelques minutes. Ou alors... Pourquoi tu n'appelles pas papy et mamy ? Papy a toujours des histoires géniales... Oui... Hein, que c'est une bonne idée ?

Sous la jovialité engageante, l'angoisse qu'un petit garçon devait percevoir aussi nettement que moi.

Vous avez raccroché. Votre panique frôlait mon imperméable trempé. Vous avez toussoté, vous êtes raclé la gorge. Une recette contre la crise de nerfs dont je pensais tenir la recette jalousement secrète. J'ai tourné la tête. Nos regards se sont croisés. L'espace d'un instant. Dans le vôtre, la peur, le vertige de l'impuissance. J'ignore ce que vous avez vu dans le mien.

Vos yeux se sont détournés vers les flots de voitures qui s'écoulaient avec lenteur sur l'île de la Cité. Vous cherchiez désespérément un taxi, psalmodiant entre vos dents :

– Un taxi... mais qu'est-ce qu'ils foutent... Un taxi, vite... Quelle ville merdique ! J'en ai marre... Bordel, j'en ai marre !

Maître Anne Lambert-Payrac répondit d'un sourire au murmure de félicitations ampoulées de son confrère et néanmoins rival. Elle venait de lui coller une nouvelle raclée juridique, et si la courtoisie professionnelle exigeait qu'il l'en congratulât, ce succès supplémentaire n'arrangerait pas leurs relations. D'un autre côté, ainsi que le disait sa grand-mère maternelle dont les aphorismes la ravissaient : la plus belle fille du monde ne peut offrir que ce qu'elle a !

À trente-sept ans, Anne confirmait sa réputation de mâchoire des prétoires et de fieffée bretteuse. Ladite réputation était soutenue par l'absolue conviction d'Édouard Payrac, son père, magistrat à la Cour de cassation. Il se répandait d'abondance sur les éblouissantes capacités de son unique rejetonne. N'en étant pas peu fier, il n'hésitait pas à la prendre pour point de comparaison afin d'étalonner les déficiences de certains de ses pairs.

Le petit monde bruissant du Palais de Justice reconnaissait en Anne la confirmation des gènes d'exception de son père. Celui-ci avait chamboulé, ulcéré, distrait la noble maison durant des décennies, y allant de ses tonitruants coups de gueule ou distillant ses reparties vipérines. Les intrépides contradicteurs qu'il avait laissés sur le carreau ne se comptaient plus. Chacun proposait son hypothèse de répartition. Selon les uns, Anne tenait sa pugnacité et son bon sens méfiant de sa mère auvergnate. Ce type de lieux communs sur les caractéristiques régionales possède l'avantage d'avoir la peau dure et de pouvoir se décliner à l'infini et à peu de frais. Pour les autres, son père, le redouté maître Édouard Payrac, lui avait légué sa flamboyance ainsi que son sens aigu des failles de ses adversaires et donc des armes de démolition qui les accompagnent.

Anne sortit du Palais de Justice. Elle avait un peu traîné dans les hauts couloirs dont la sévère pesanteur encourageait les passants à l'humilité, attendant en vain le petit miracle : la joie confidentielle qui naît d'une victoire. Avant, ces éclats de jubilation la récompensaient mieux que le chèque de ses honoraires, effaçant d'un coup d'âpres semaines de travail.

Aujourd'hui, le miracle se refusait. Il s'agissait pourtant d'un dossier complexe, et écraser une nouvelle fois cette verrue de Xavier aurait dû la faire glousser de satisfaction.

Elle soupira en ouvrant son parapluie afin de se protéger du désagréable crachin qui fonçait les marches du Palais. Décidément, elle détestait les mois de novembre. Il y a une telle hypocrisie dans ces quatre semaines qui s'éternisent. Quelques après-midi tièdes et roux font croire à l'été indien quand elles dissimulent la menace pressante de l'hiver et la rigueur qu'il ramène.

Elle jeta un regard à sa montre. Déjà dix-neuf heures. La baby-sitter lui ferait, comme à l'accoutumée, la tête, et ceci bien qu'Anne la payât double passé dix-sept heures. À tous les coups, elle ne trouverait pas de taxi dans l'île de la Cité, et le métro serait bondé de gens agacés par leur journée, déprimés à la perspective de leur soirée. Et puis, cette ville semblait puer de plus en plus. La pluie glaçante retenait entre ses gouttes les fumées d'essence, les relents d'une humanité maussade. Soudain, l'ampleur de sa mauvaise foi la stupéfia. Quoi ? De quoi pouvait-elle se plaindre à peu près légitimement ? Elle vivait dans l'une des plus belles villes du monde. Elle avait été l'enfant choyée de deux parents extraordinaires pour devenir, après des études brillantes, une avocate prisée, et la mère d'un adorable petit Victor de presque sept ans. Si elle en jugeait par les sourires et les regards approbateurs des messieurs qui n'avaient pas à l'affronter en cour, elle était jolie femme. Cela étant, Anne n'ignorait rien des commentaires qui suivaient les éloges sur son physique, commentaires dont le grotesque n'avait d'égal que la sincérité : « Une si jolie fille, elle a tout... Mais, bon sang, qu'elle est venimeuse ! Le gars qui la soulèvera est mal barré. » Car, quoi qu'on en dise, si les hommes agressifs de profession sont des battants, les femmes dans le même cas sont des pestes, voire des « mal-allongées ». Peut-être même les deux : l'autre engendrant l'un dans l'esprit des détracteurs.

Ce n'était certes pas son récent divorce du triste Antoine qui la rendait morose. Après huit ans de mariage, Antoine Lambert avait jugé que l'occupation de son épouse menaçait l'harmonie de leur couple. Son constat était d'autant plus inattendu que son occupation à lui – propriétaire et directeur général d'une chaîne de fleuristes – n'entrait pas en ligne de compte. D'autant que les horaires de sa femme ne lui avaient occasionné nulle gêne lorsqu'elle participait à la gestion de son affaire. Après deux ans d'une rupture larvée, où chacun avait jaugé les concessions de l'autre à l'aune de son besoin personnel, Antoine avait opté pour la séparation puis le divorce. D'abord virulent au sujet du droit de garde concernant Victor, l'arrivée – ou plutôt la sortie de coulisses – d'une jeune et seconde compagne très enceinte de ses œuvres avait mis terme aux pinaillages. Grand seigneur, le triste sire avait soudain découvert ce qu'il nommait avec componction « le privilège de la mère ». En d'autres termes, il se contenterait de son fils aux grandes vacances et durant les quelques week-ends concédés par sa nouvelle épouse. Anne avait gardé pour elle ce qu'elle pensait de ce revirement puisqu'il lui convenait. Au demeurant, son ex-mari faisait preuve de finesse sans s'en douter. En effet, Anne était fermement décidée à lui sauter à la jugulaire s'il tentait de lui contester la garde de Victor, à le mettre en pièces si besoin s'en faisait sentir. Après la sage décision d'Antoine, son père et elle avaient donc rangé le mince – mais meurtrier – dossier qu'ils avaient préparé, dossier destiné à encourager leur respectivement ex-gendre et ex-mari à une plus saine réflexion. Quelques pièces, peu de choses : de grosses « bévues » comptables et quelques étonnants raccourcis qui ne manqueraient pas de faire saliver l'administration fiscale. En résumé, Anne était maintenant débarrassée d'une pesanteur qui commençait à lui gâcher l'existence, et restait seule avec son petit amour. Car Victor était un vrai miracle. C'est, certes, ce que pensent la majorité des parents, mais la jeune femme se convainquait de l'exception dans son cas. Ce petit garçon, à la fois grave et joyeux, était capable de guérir tout ce qui n'allait pas chez elle. Il suffisait qu'il incline la tête sur le côté et demande d'un ton sérieux : « Tu m'aimes comment, maman ? Parce que moi, je t'aime drôlement, tu sais », pour que les déplaisantes ombres de la journée s'effacent.

Anne s'avança en bord de trottoir dans le fol espoir de dénicher un taxi. Une voiture passa trop vite dans la ligne réservée aux bus, l'aspergeant jusqu'aux cuisses de l'eau sale du caniveau. Un frisson de fureur la hérissa. Elle récupéra son souffle bouche ouverte, retenant la bordée d'injures qui lui venait.

Le voyage dans le wagon bondé fut interminable. Sa jupe en laine trempée se plaquait contre son collant. Un type la bouscula puis la regarda d'un air dégoûté comme si elle s'était pissé dessus. Une bonne femme lui écrasa posément le pied, la poussant de son estomac vers le fond du compartiment afin de se rapprocher des strapontins et de se ruer sur l'un d'eux dès qu'il se libérerait.

Enfin, le flot humain propulsa Anne sur le quai de sa station. Elle grelottait et un très prometteur début de migraine gonflait les veines de ses tempes.

Anne resta là, plantée dans l'embrasure de la porte palière. Quelque chose n'allait pas. Le silence de l'appartement n'allait pas. La pénombre qui envahissait le large couloir d'entrée non plus. Elle avança de quelques pas et lâcha sa sacoche. Une houle de panique la figea. Où était cette fille ? Elle hurla, fonçant droit devant elle :

– Victor ? Victor, où es-tu, mon chéri ?

Une seconde, une seconde de trop.

Rien, le silence. Il lui sembla que la mort devait ressembler à quelque chose de similaire. Un vide glacé, terriblement coupant. Elle se sentit couler vers le tapis.

Une petite main tiède dans la sienne si froide.

Que foutait-elle là, agenouillée à l'entrée du salon ? Tout allait bien – à merveille même – puisque le petit miracle se tenait debout devant elle, la fixant de ses immenses yeux bleu marine.

Anne parvint à articuler :

– Oh, mon amour, tu m'as collé une peur...

– J'étais dans ma chambre.

La rage la rattrapa, elle se redressa en sifflant, mauvaise :

– Où est Vanessa ?

– Partie, il y a deux heures. Elle avait rancard.

– On dit « rendez-vous », chéri... Quoi ? Cette gourde t'a laissé seul sans prendre la peine de fermer les verrous, en claquant juste la porte ?

– Ben... elle était pressée.

– Pressée ? Mon chéri, va dans ta chambre, j'en ai pour deux minutes. Juste un coup de téléphone. Je te rejoins très vite et tu me racontes ta journée. Ça marche ?

Lorsqu'elle composa le numéro du téléphone portable de la baby-sitter, ses mains tremblaient. Sans prendre la peine de s'annoncer, elle attaqua :

– Espèce de tordue incompétente ! Vous abandonnez mon fils de six ans et demi, tout seul, sans même fermer la porte ? Vous voulez que je vous traîne en justice ? Je vous rappelle que vous êtes tenue par un contrat de travail que j'ai moi-même rédigé !

La fille affolée eut juste le temps d'ânonner :

– Mais vous êtes toujours à la bourre, aussi... Y a pas que vous qu'avez une vie...

Un « connasse » retentissant lui coupa la parole.

Une seconde, une autre. Une irréparable seconde qui dit, d'un coup, que tout est trop. Marre ! Marre, marre et marre ! Marre de cavaler, d'être efficace, présente sur tous les fronts à la fois. Marre de cette ville, de ces gens, des bagnoles, du métro, de la pollution, de la bouffe artificielle, de la bombe atomique et de la violence à l'école ! Marre de gagner de l'argent et de le dépenser en onéreuses babioles antalgiques lorsque le blues lui venait. D'autant qu'il relevait le nez de plus en plus souvent, le blues. La preuve : chaque fois qu'elle allait mal, elle s'achetait des fanfreluches qu'elle ne portait jamais. Elle était maintenant la radieuse propriétaire d'une envahissante collection de chaussures, de sacs à main, de gants, de porte-cartes qui se démodaient, ignorés dans leurs boîtes.

Marre, marre, marre ! Marre de passer à côté de la vie de son fils, d'autant qu'elle risquait de rater la sienne dans la foulée ! En résumé, marre de passer à côté du Vrai. La vague idée qui lui trottait depuis un moment dans la tête s'imposa comme une évidence : lâcher tout cela, du moins pour quelque temps, et retrouver le Vrai. Cette chose floue et pourtant fondamentale qui dit que notre vie à un sens si on y prête un peu attention.

Lorsqu'elle l'avait évoqué, un dimanche après-midi, son père avait éclaté de rire :

– Ma fille en néoplouc ! Tu n'as aucune idée de ce que c'est, ma chérie. Remarque, c'est un retour aux sources. Comme tu le sais, du côté de ta mère, c'est une famille de maquignons. Sauf ton grand-père qui était devenu percepteur général. Un scandale, un renégat... Tu penses, pour eux, c'était le loup dans la bergerie !

Anne avait souri à son tour :

– Je n'ai pas l'intention de muter fermière. Je sais à peine reconnaître un pommier d'un plant de carottes...

– Oh ça, c'est simple : le premier est un arbre, les secondes des racines, en conséquence de quoi on peut supposer que ça pousse sous terre. Quant aux poulets, ils ne naissent pas encore sous Cellophane. Les vaches ! Ça supprimerait pourtant des intermédiaires et arrondirait les bénéfices.

– C'est exactement cela ! Je crois que je ne supporte plus tout ce côté... factice. C'est creux, c'est si faux. L'air pue, la bouffe n'a plus de goût.

L'homme sage que la vie amusait toujours autant avait répondu :

– C'est d'autant plus vrai que Cléopâtre faisait la même réflexion au sujet de la bière qu'on lui servait, qu'elle jugeait frelatée et très inférieure en goût à celle que l'on offrait à son aïeule Néfertiti... (Il avait ajouté d'un petit ton goguenard :) Je me demande comment Cléopâtre pouvait être si formelle... à peu près treize siècles séparaient les deux belles dames.

Victor et elle s'installèrent quelques semaines plus tard dans la grande maison qu'Anne avait achetée, l'année précédente, non loin de Chartres. Elle n'y avait que fort peu mis les pieds jusque-là, la réservant pour d'improbables longues vacances.

Ses parents ayant décidé que leur âge leur épargnait un camping sauvage dans la bâtisse tant que celle-ci ne serait pas transformée en nid douillet, la perspective de son premier Noël, seule avec son fils devant un bon feu de cheminée, ravissait Anne. Fini, le chauffage central si desséchant et dont elle s'était convaincue qu'il contribuait à la recrudescence d'allergies chez les enfants.

Typique de la période Louis-Philippe, la maison de deux étages possédait de belles cheminées en marbre dans chaque pièce. Certes, l'humidité et le froid pinçant qui y régnaient lorsque Anne eut terminé de décharger la voiture les contraignirent à garder leurs manteaux. Elle entreprit de faire chauffer la bouilloire sur la gazinière afin de préparer un chocolat bien chaud. Victor claquait des dents. Tiens, que se passait-il ? Elle cogna de l'index contre le flanc de la bouteille de gaz. Mince, vide ! La cheminée du salon allait être doublement utile. Le petit garçon s'installa, tassé sur l'un des affreux fauteuils en tapisserie élimée, cadeau des anciens propriétaires, pendant que sa mère traversait la cour. Ah... Elle ignorait que les bûches remisées en haut tas dans la grange étaient si longues. Qu'à cela ne tienne : elle n'avait pas été élevée pour s'écrouler à la moindre contrariété ! Se servir d'une hache ne devait pas être sorcier. L'heure qu'elle passa à cogner de toutes ses forces contre le bois dur et noir lui arracha les paumes et lui brisa le dos. Toutefois, elle revint assez satisfaite, croulant sous une dizaine de tronçons dont elle supputait qu'ils tiendraient la nuit. Enfin, le feu accepta de prendre, et elle s'installa sur son manteau jeté au sol en plaid, son fils contre elle, attendant les yeux mi-clos le réconfort de la chaleur. Les dix bûches se consumèrent en moins de trois heures, propageant autour d'elles une pingre tiédeur incapable de parvenir au centre de la pièce.

Ils se couchèrent, frigorifiés et toujours habillés, se serrant l'un contre l'autre. Anne ne ferma pas les yeux de la nuit, l'humidité glacée des draps l'inquiétant. Le lendemain, Victor était fiévreux. Le médecin jovial qui se déplaça pouffa :

– Vous n'y pensez pas, madame ! Nous sommes sur une nappe phréatique. Si ce n'est pas génial pour les papiers peints, c'est carrément mauvais pour vous et votre fils. Ces cheminées sont surtout décoratives, ou alors il faudrait avoir la constitution des paysans du siècle passé. Pourquoi croyez-vous que tous les gens du coin se sont empressés d'installer le chauffage central ?

– Ah... Vous connaissez un bon chauffagiste ?

– Oui, mais il est sans doute débordé.

Il l'était. Anne acheta donc une dizaine de radiateurs électriques et deux bouteilles de gaz d'avance. Certes, c'était une concession au Vrai. Une concession minime et nécessaire, toutefois.

Quelques mois passèrent. Des mois épuisants durant lesquels elle repeignit tout, jusqu'aux volets. Des mois assez solitaires aussi puisque, hormis la silhouette de son voisin – un certain François Guérin – aperçue parfois, elle ne vit personne. Le Palais de Justice lui semblait loin. Le souvenir de ses perfidies professionnelles ne la distrayait même plus. L'optimisme forcené qui la tenait effaçant le reste, Anne se convainquit que, à l'exclusion de quelques couacs, son installation et sa transformation avaient été assez aisées. Le seul gros point noir restait la solitude de Victor. Ce petit citadin réservé parvenait difficilement à se faire des copains dans l'école du village voisin. L'enfant trop sage ne se plaignait pas, aidant sa mère débordée par le bricolage, la décoration, le jardin, bref, tout. Anne s'en voulait, bien que se rassurant en songeant que « le plus gros serait bientôt derrière eux ». Finalement, elle ne voyait son fils revenir heureux que lorsqu'il bavardait un peu avec leur voisin. En effet, si l'homme semblait l'éviter avec une obstination qui frisait la grossièreté, il partageait de longues conversations avec Victor. C'est ainsi qu'elle apprit que François Guérin était divorcé et sans enfant, ingénieur de formation. Il avait repris l'exploitation céréalière de son père après le décès de ce dernier survenu cinq ans plutôt. Selon Victor, admiratif, leur voisin savait faire « plein de trucs », et lui apprendrait à l'été à reconstruire le ponceau vermoulu qui enjambait le ru longeant la propriété. Anne songea que le sieur Guérin aurait pu lui demander au préalable l'autorisation d'intervenir sur son terrain et surtout d'occuper son fils. Cependant, la joie du petit garçon rosissait ses joues, et l'anticipation le faisait pouffer. Aussi garda-t-elle ses réflexions acides pour elle.

Le printemps se promit enfin. Forte d'une lecture assidue de quelques antiques numéros des *Soirées de nos hameaux*, un hebdomadaire du siècle dernier qui avait connu ses heures de gloire dans la région, et dont elle avait déniché quelques volumes lors d'une brocante, Anne sentit qu'elle touchait au but.

C'est à peu près à cette époque que le puisard s'engorgea, bouchant la fosse septique dont les eaux répugnantes se répandirent dans la cour en cuvette. Lorsque Anne constata cette « montée des eaux » de la fenêtre de la cuisine, elle n'eut aucune idée de sa nature. Elle sortit en trombe pour finir en glissade, à plat ventre dans cette... chose malodorante et d'origine très organique.

Le plombier prit en pitié la crise de nerfs qui se déversait à l'autre bout du fil et se déplaça dès le lendemain. Anne, toujours sous le choc, glapit :

– Mais enfin, ça ne part pas dans des trucs... je ne sais pas moi... des tuyaux ?

L'homme la contempla, un peu surpris :

– Ben non, y a pas trois cents habitants dans ce village... alors, l'tout-à-l'égout, c'est pas pour demain... Faut faire venir la vidange.

– Oui, et en attendant, comment suis-je censée me débrouiller ?

– Ah, ben ça... Y a le jardin pour les urgences. Y a qu'à recouvrir de terre une fois terminé. Ça fait engrais.

Une fois l'artisan reparti, et après deux whiskys bien tassés, elle décida qu'il ne s'agissait que d'un nouvel et désagréable incident de parcours.

Trois jours plus tard, tout était rentré dans l'ordre. Elle réussit à maîtriser la nausée qui la secoua lorsqu'elle vida les multiples seaux d'aisances, que Victor et elle avaient remplis dans l'intervalle et stockés dans la grange. Enfin... presque dans l'ordre, puisqu'elle reçut une lettre comminatoire de la mairie lui enjoignant de faire procéder à la réfection de ses bacs d'eaux usées sous peine de lourdes amendes. Les devis qu'elle demanda la laissèrent sans voix. Si l'on ajoutait le chauffage central, la plomberie, les travaux d'assainissement sans omettre la décoration, elle venait de doubler le prix de sa maison, sans compter son travail de forçat des mois passés.

Le moral revint : après tout, elle avait les moyens. Son but, son Vrai, était maintenant à portée de main. Certes, après toutes ces modifications, il devenait un peu moins triomphalement vrai, mais quand même.

Anne se releva, en nage, moulue, et gémit sous les zébrures électriques qui lui pulvérisaient les reins. Elle tendit devant elle ses mains incrustées de terre. Les éraflures et les cloques qui les dévoraient la firent grimacer. Cependant, quelle satisfaction ! Elle y avait passé la semaine, travaillant dix à douze heures par jour. Enfin, tout était semé : les carottes, les potirons, les haricots verts, sans oublier quelques futurs gros choux, excellents pour la santé. Du Vrai de vrai, car elle allait les surveiller comme le lait sur le feu afin de n'ajouter ni engrais, ni aucun de ces pesticides antibestioles ou mauvaises herbes. Et tout cela grâce à quoi ? À un prodigieux numéro de *Soirées de nos hameaux* datant de 1892 ! Les anciennes générations connaissaient le sens des choses, de la vérité. Deux épatantes et économiques recettes. Des boules de naphtaline enfouies dans le sol, dont l'article affirmait qu'elles repousseraient taupes et limaces de tout poil, et des briquettes confectionnées à partir des tonnes de vieux magazines et prospectus retrouvées dans le grenier de la grange qu'elle venait d'enterrer sous ses plantations. Le papier en se biodégradant diffuserait un engrais parfaitement naturel.

Une voix grave d'homme la fit sursauter. Grave et peu amène :

– Madame...

Elle se retourna et s'avança en souriant vers François Guérin accoudé au grillage qui séparait leurs deux jardins. Il devait avoir une petite quarantaine. Assez séduisant, le voisin, maintenant qu'elle le voyait de près.

– Bonjour... je suis Anne Payrac...

– Je sais, oui.

Insensible au ton du voisin qui virait à la glace, Anne décida de se montrer avenante et poursuivit :

– Victor est si content de discuter parfois avec vous. Il est un peu solitaire et ces échanges lui font du bien. Je comptais vous appeler, me présenter... j'ai eu tant de choses à faire... J'ai décidé de m'installer ici de façon permanente.

– Vous m'en voyez ravi, rétorqua sèchement François Guérin.

Enfin, quelque chose dans l'attitude réfrigérante de son interlocuteur alerta Anne :

– Ça ne va pas ?

– Jolie perspicacité. Peut-être avez-vous l'intention d'assassiner votre fils et de vous suicider... En revanche, moi, je tiens à ma santé.

– Je vous demande pardon ?

– Vous allez m'enlever immédiatement ces boules de naphtaline et ces briquettes de journaux...

Une colère hautaine fit reculer Anne d'un pas. Elle contre-attaqua :

– Sans blague ?

– Sans blague !

– Et pourquoi cela, je vous prie ?

– Parce que la naphtaline est composée de naphtalène ou de paradichlorobenzène toxiques, tout comme les sels de plomb qu'on utilisait il n'y a pas si longtemps dans les encres. En d'autres termes, ça n'a strictement rien à faire dans la terre et encore moins dans les sols cultivables. D'autant que si vous comptiez sur l'effet dissuasif de la naphtaline à l'égard des taupes, vous allez être déçue !

La stupeur cloua Anne :

– Mais...

– Mais... quoi ? Un petit conseil, une fois votre salutaire ménage terminé, déplacez votre potager, c'est plus prudent.

Elle eut au moins une consolation : elle ne se décomposa que lorsqu'il eut disparu. De ce jour-là, elle évita de le rencontrer, en souvenir de sa déconfiture à base de paradichloro-machin et d'acétate de truc. Leurs deux grands jardins étant mitoyens, elle planta une haie de thuyas américains dont le pépiniériste lui avait assuré qu'ils monteraient à hauteur d'homme en moins de deux ans. L'aigreur de François Guérin se manifesta dans la semaine qui suivit, sous forme d'une courte missive. Courte mais menaçante :

> *Madame,*
>
> *Je vous serai reconnaissant d'avoir l'obligeance d'arracher au plus vite la haie que vous avez récemment plantée. Si j'en comprends l'utilité, vous contrevenez néanmoins à la loi. L'espace que vous devez maintenir entre ces plantations et notre clôture est de un mètre. Ne me croyez pas procédurier : ces hybrides émettent de très longues racines qui endommageront mon jardin sur une bande de plusieurs mètres de largeur. Avec mes salutations...*

Sa patience la lâcha. Elle fonça chez celui qu'elle baptisa aussi sec : son odieux voisin. Elle en fut pour ses frais. François Guérin était absent. Cette carence d'adversaire lui permit de vérifier les textes et de se rendre compte que « l'odieux voisin » avait raison. Elle recula les thuyas, mesurant l'espace au plus juste pour n'en concéder aucun millimètre superflu.

Enfin, un matin, tous ses efforts, ses courbatures, cette implacable fatigue accumulée portèrent leurs fruits : elle découvrit SES premiers haricots verts. L'émotion lui fit monter les larmes aux yeux. Ah... qu'ils étaient beaux. Si verts, mais d'un vert... bref, un Vrai vert. Elle allait pouvoir offrir à son fils de vrais haricots verts. Certes, étant entendu le nombre d'heures de travail qu'elle leur avait consacrées, cela mettait leur kilo au prix du caviar. Qu'importait ! Elle les cueillerait demain, puisqu'elle avait rendez-vous avec son banquier.

Elle était défaite lorsqu'elle sortit de la banque. La masse d'imprévus, de travaux auxquels elle avait dû faire face lui avait coûté une fortune. Elle allait devoir trouver un emploi, au moins à mi-temps, car elle ne demanderait rien à ses parents. Son père rigolerait trop ! Seule la pensée des haricots verts qui achevaient de mûrir lui mit un peu de baume au cœur, et lui permit de faire bonne figure devant son fils.

Elle s'arrêta, interdite. Qui avait fait cela ? Qui avait gonflé les minces gousses tendres, et avec quoi ?

Une voix moqueuse lui parvint :

– Il faut les cueillir le jour même. Il a bien plu et il fait beau. Ça profite vite... À ce stade, ils sont trop durs... peut-être pouvez-vous en faire une soupe en les mixant, s'ils n'ont pas trop de fils.

Une seconde, une seconde de trop. Une irréparable seconde qui dit d'un coup que tout est trop. Marre ! Marre, marre, marre !

Elle fondit en larmes devant cet étranger qu'elle détestait, qui n'était là que pour l'enfoncer et se réjouir de ses ennuis, et se laissa tomber par terre. Étouffant dans ses sanglots, elle repoussa en gémissant la main qui tentait de la soulever :

– Ah non... ah non, je n'en peux plus. Tout se ligue contre moi, c'est pas vrai !

– Si, c'est vrai... pas spécifique, toutefois. Je veux dire que vous n'êtes pas visée personnellement. Venez, je vous offre un verre.

Elle le suivit en titubant, reniflant tout en bafouillant :

– Je vends cette baraque, je la déteste, elle me déteste, je déteste ce bled... Vous êtes un odieux sale type... je ne vous aime pas non plus, d'abord !

– C'est dommage... moi, je vous trouve plutôt marrante. C'est un compliment : les femmes me font peu rire depuis que j'ai subi la mienne. Et puis, je me dis qu'on ne peut pas être vraiment pète-sec et Madame-je-sais-tout lorsqu'on a un enfant aussi attachant que Victor. Il est craquant, ce gosse !

Elle faillit rétorquer qu'elle se passerait volontiers de ses diagnostics pendant qu'il l'installait sur le banc flanquant la table de sa cuisine et s'activait avec un tire-bouchon.

– Tenez, buvez. C'est un vin du Jura qu'un de mes copains m'envoie tous les ans.

Anne vida son verre d'un trait. La gentille brûlure de l'alcool la secoua. Pourtant, presque aussitôt, un peu de calme lui revint.

L'homme lui tendit la main par-dessus la table :

– Au fait, bonjour, bienvenue chez moi.

Elle resta muette, hésitant entre la rage et l'épuisement.

Il sourit en hochant la tête :

– Attendez, je vais chercher le truc que je voulais glisser dans votre boîte aux lettres.

C'était une grande cuisine agréable. Anne jeta un regard rapide autour d'elle. Une grosse et rassurante cuisinière à bois était séparée d'un large réfrigérateur américain par un muret de briques rousses. L'élégance de leur rencontre anachronique étonna Anne. D'attendrissantes photos de famille du siècle dernier couvraient le mur de couleur pêche qui faisait face à la table. Le retour de son voisin interrompit son inspection des lieux. François posa devant elle un livre ouvert :

– Lisez, c'est édifiant et très consolateur, je trouve. Il s'agit d'une nouvelle, signée d'un de nos grands auteurs. *L'Amour du naturel.*

– « [...] l'honorable président [...] en fumant un *vrai* cigare [...] ne pouvait s'empêcher de reconnaître, en soi-même, qu'au fond l'amour des choses *trop* naturelles n'est plus qu'une sorte de rêve des moins réalisables, bon à défrayer, tout au plus, le verbiage des gens en retard. Daphnis et Chloé pour mener aujourd'hui leur train du passé, leur simple existence champêtre, pour se nourrir enfin de *vrai* lait, de *vrai* pain, de *vrai* beurre, de *vrai* fromage, de *vrai* vin, dans de *vrais* bois, sous un *vrai* ciel, en une *vraie* chaumière et liés d'un amour sans arrière-pensée, auraient dû commencer par mettre leur dite chaumière sur un pied d'environ vingt-cinq mille livres de rente... ».

Anne referma l'ouvrage et déchiffra la première de couverture : Villiers de l'Isle-Adam, *Les Contes cruels et les Nouveaux Contes cruels*, 1883-1888.

Un fou rire la plia contre la table de la cuisine.

Miroir avec éclats

Chez un coiffeur d'une grande ville de province

J'ai un rapport un peu délicat avec les coiffeurs, une sorte d'appréhension irrationnelle, je l'avoue. À ma décharge, quatre ou cinq mésaventures fâcheuses à l'issue desquelles je ressortis presque défigurée d'un salon. Ayant les cheveux frisés, il faut un temps fou pour que les cicatrices d'une mise à sac capillaire s'effacent. Je me souviens de ce « coiffeur-styliste » d'une chaîne prestigieuse que je ne nommerai pas. Après avoir tourné à la manière d'une toupie autour de mon crâne, tiré une mèche ici, repoussé une autre là, crispé la bouche de concentration et pris la pause, ledit styliste massacra mes cheveux avec un enthousiasme méthodique. Je ressortis avec la même coupe « mode » que les dix autres clientes, qu'elles fussent longilignes ou grassouillettes, à savoir une petite frangeouille et des pattes effilées, grotesques sur une femme de ma morphologie à mâchoires soulignées. Découvrant dans le miroir que j'avais des faux airs de pâté de tête, je tins à exprimer mon vif mécontentement au boucher des bouclettes. Je m'entendis rétorquer d'un ton peste : « Meudâââme... Lorsqu'une femme va chez Chanel, ce n'est pas pour ressortir habillée par Tati ! » Ça ne s'invente pas. Résistant avec peine à l'impérieuse envie de lui faire avaler de force ses bigoudis, si possible de travers – pardon, ses *curlers*, il s'agissait d'un salon chic, branché donc bilingue –, je partis en claquant la porte. Cependant, je me vengeai quelques mois plus tard : le monstrueux tueur en série de l'un de mes romans hérita du *nickname* du psychopathe des ciseaux.

Cette anecdote n'a d'autre objet que de vous expliquer la raison pour laquelle je ne lis, ni n'écris jamais chez un coiffeur. Je surveille mes cheveux. J'épie chaque geste, chaque coup de brosse. Sur le qui-vive, je scrute les pointes fauchées par les courtes lames, prête à bondir de mon siège. Un grand moment de tension nerveuse avec pour résultat une perméabilité accrue à tout ce qui m'entoure.

Pour en revenir à ce salon de province, j'y pénétrai avec méfiance, en dépit des louanges de l'amie qui me l'avait recommandé. Adepte de la guerre capillaire préventive, j'adopte toujours un air revêche lorsque je m'installe pour la première fois chez un coiffeur. L'avantage en est double. 1) Le personnel pense aussitôt que si jamais ma tête est victime d'un gros raté, ça va barder. 2) L'air peu accommodant décourage les envies de conversation. Ainsi, rien ne me distrait du sauvetage de mes frisettes.

Passé le shampoing-crème démêlante aux incontournables huiles essentielles, je m'apprêtai à subir l'épreuve de la coupe. On installa à côté de moi une femme d'une petite quarantaine d'années. Elle n'attendit pas qu'on lui démaillote la tête de la serviette qui l'enveloppait pour repêcher son téléphone portable dans son sac à main. Une moue de déplaisir serra ses lèvres lorsqu'elle constata que non, vingt-cinq SMS et quarante-trois messages ne s'étaient pas accumulés durant les cinq minutes de son shampoing. Commença la première conversation, vraisemblablement avec un correspondant, car je doutai que le Frédéric en question fût de sexe féminin. La voix de la femme me sidéra. Une voix de petite fille plaintive.

– Oui... (Soupir)... je sais bien, Frédéric... (Soupir)... Tu as raison, comme toujours... Mais tu sais... je crois que Gérald m'a dans le collimateur... Les petites brimades commencent... (Soupir)... Pourtant, je n'ai pas épargné ma peine... Je me croyais plus forte (Soupir)... C'est si difficile... Je ne suis pas de taille... (Long, très long soupir).

Au gré de l'humeur du jour, j'oscille entre deux attitudes vis-à-vis des gens qui vous infligent leurs conversations privées, voire intimes : la curiosité et l'agacement.

Le portable est pour moi un instrument d'information. Il me sert à prévenir que je serai en retard ou en avance, que j'ai raté mon train, oublié mes clefs ou que je me suis encore perdue. À l'occasion, il me permet de régler un détail professionnel. Une question de génération qui explique que je puisse passer quinze jours sans penser à allumer la bestiole. Mettre à profit chaque plage de solitude – du moins si l'on gomme les inconnus qui vous environnent bien involontairement – pour s'engager dans une véritable conversation me déconcerte. Je me demande toujours si les surconsommateurs de forfaits doivent se ranger dans la catégorie des gens qui ne fonctionnent au mieux de leurs capacités qu'à plusieurs, ou alors des angoissés que la perspective de se retrouver seuls dans leur tête plus de trois minutes panique. Surtout, je m'interroge : comment s'occupaient ces gens avant l'invention du téléphone portable ?

Ma voisine contacta un autre correspondant, une femme cette fois-ci. J'allais glisser dans l'énervement lorsque sa voix m'intrigua. Une voix ferme, péremptoire même, celle d'une *décideuse* qui ne s'en laisserait pas conter :

– Absolument, ma chérie ! Nous sommes des battantes. Si ce petit monsieur ne veut pas le comprendre, tu le vires ! Tu le sais bien : avec moi, ça ne traîne pas ! Je l'ai mis au pas et vite, le Gérald ! Il n'est pas de taille contre moi. Il croyait m'impressionner ? Eh bien, il est tombé de haut !

Sourde aux exhortations de mon coiffeur, je penchai la tête sur le côté. Le jeu des miroirs biseautés me renvoya le puzzle d'un visage fin. Elle était jolie, les cheveux châtain moyen, les yeux d'un chaleureux noisette. Je détaillai le petit nez, sans doute retouché, la ligne des mâchoires et la courbure du front. Quelque chose me troublait sans que je parvienne à le définir.

– Droite la tête, s'il vous plaît, s'énerva mon coiffeur.

J'obtempérai, songeuse.

Troisième conversation téléphonique. Dans la famille « répertoire téléphonique intégral », la mère. Une voix douce, apaisante mais solide, s'écoula à ma droite :

– Ne t'inquiète pas, maman. Je m'en occupe... Beaucoup de travail, mais l'ambiance est vraiment sympa. Le nouveau directeur ? Il s'appelle Gérald. Oh... Il est un peu tôt pour se faire une idée. Toutefois, il est compétent, c'est indéniable. Du coup, je pense que ça se passera très bien avec moi. Oui... Je m'en suis chargée. Tout va bien...

Fascinée par ce caméléonisme, j'en avais oublié l'espionnage de mes ondulations. Je me dévisageai dans le miroir. Ouf, mon crâne n'était pas encore le théâtre d'irréparables dommages.

Un ricanement d'adolescente en rafales de « hi-hi » capta à nouveau mon attention. Quatrième conversation. Je fus incapable de déterminer le sexe de l'interlocuteur tant ma voisine gloussait, pouffait, charmait, s'esclaffait, cajolait de cette voix sosotte et aiguë qui n'épargna que peu d'entre nous – les filles – à la puberté.

Les miroirs biseautés du salon me renvoyaient ses expressions en éclats. Éclats de rire, de désinvolture ou de crainte. Éclats de sourire ou d'affliction. Éclats de mélancolie, de défaite ou d'autorité. Éclat d'un regard noisette.

Feignant une concentration dévote, Valérie hésitait. Gérald, le tout nouveau directeur de l'agence bancaire dans laquelle elle travaillait, entrait incontestablement dans la case « brillant bosseur acharné ». En revanche, il ne se prenait pas pour de l'eau de bidet, pas plus qu'il ne sous-estimait sa supériorité hiérarchique. Que savait-elle d'autre de lui qui puisse servir ? Trente-deux ans, célibataire, plutôt beau mec. Patronyme d'origine espagnole. Embêtant, ça ! À qui avait-elle affaire ? Au descendant d'une famille d'intellectuels qui avaient fui le franquisme ? Ou alors de pauvres gens qui avaient échappé à la misère et éventuellement au franquisme ? Selon le cas, la stratégie d'approche changeait radicalement. Dans le premier, elle la jouait : « je suis de gauche pour des raisons philosophiques, bien que centre droit de cœur ». Prudence ! D'autant qu'elle travaillait quand même pour une banque. Dans le deuxième, elle la lui faisait : « Le travail est la grande dignité de l'homme. J'ai tant d'admiration pour ces gens qui s'en sortent à la sueur de leur front ». Dans la foulée, elle apprenait la recette de la paella, ne serait-ce que pour être capable d'en discuter, et s'extasiait habilement sur le *sangre de toro*, « Ma seule cuite. Je ne bois que du vin rouge et encore, avec modération ». Mince, si ça se trouvait, il n'aimait que la bière brune. Elle manquait cruellement d'informations.

Les choses avaient été tellement plus aisées avec le prédécesseur de Gérald, M. Monier. Il avait exactement l'air de ce qu'il était : un bon grand-père dont l'ulcère se réveillait à la plus petite mention d'un changement. Valérie avait donc passé cinq années idylliques à se tourner les pouces, prétendant être une sage petite fille que la plus petite mention d'un changement paniquait au-delà du raisonnable.

Bon, pour l'instant, elle gardait sa réserve, son tailleur gris moyen qu'appréciait tant M. Monier et un profil bas. Le temps d'avoir glané assez de renseignements.

Lorsqu'elle rejoignit Frédéric au restaurant ce samedi midi-là, il l'attendait déjà. Elle avait passé une jupe à godets de couleur pâle, un gilet à boutons nacrés et des ballerines d'un jaune acidulé. Elle connaissait Frédéric depuis deux ans. Une de ses réserves en cas de gros temps. Elle déposa un baiser sonore sur la joue de l'homme, murmurant dans un sourire ravi :

– Ah... Ce que je suis contente de te voir. Et comment vas-tu... ?

– Bien, et toi ? Tes relations avec ton nouveau boss s'améliorent ? Gérald, c'est ça ?

D'une petite voix hésitante, elle gazouilla :

– Oh... tu sais... Il y a vraiment des moments où j'ai du mal à comprendre les gens...

Elle feignit l'alacrité avec assez de maladresse pour qu'il en conclue que, en réalité, elle était triste mais le lui dissimulait par pudeur :

– Je suppose que je ne suis pas la seule... Écoute, assez de se plaindre, ce n'est pas mon genre ! Nous allons passer un excellent moment ensemble et c'est tout ce qui compte pour moi. Oh, que je suis contente, répéta-t-elle en tapant mignonnement dans ses mains.

– Non, j'insiste, explique-moi, exigea-t-il d'un ton pressant et inquiet. Tu sais bien que je suis toujours là pour t'épauler. Tu prends un peu de vin ?

Elle le considéra d'un air tendre, quoiqu'un peu chagrin :

– Coquin qui a oublié que je ne buvais pas d'alcool. Ah... les hommes, les hommes !

Frédéric était informaticien. On a toujours le trompeur sentiment que ces gens-là sont des lunaires qui ne descendent qu'occasionnellement dans le monde réel. Erreur, du moins dans son cas. Valérie avait très vite compris qu'il appartenait à cette race d'hommes qui ne se réalisent pleinement que lorsqu'ils ont l'impression de protéger une pauvre et faible demoiselle en détresse. Le miroir la lui avait offerte.

Ils se quittèrent vers trois heures de l'après-midi, Valérie prétextant une visite à sa mère pour se débarrasser de lui.

Elle fonça chez elle et enfila un jean ajusté, une longue chemise blanche de coupe masculine sur laquelle elle passa un gilet de peau. Une somptueuse écharpe de marque complétait l'ensemble. Un cadeau de Sylvie, gérante d'une boutique de vêtements assez chics et hors de prix, avec laquelle elle avait rendez-vous.

Valérie patienta le temps que la cliente soit partie et se jeta dans les bras de la grande femme mince, admirablement habillée.

– Ma chérie... tu es radieuse !

– Merci Mme Botox et M. Collagène, répondit l'autre, pince-sans-rire.

Valérie salua la plaisanterie d'un « ha-ha » généreux et libéré.

– Alors raconte, reprit Sylvie. Ça fait au moins dix jours que je ne t'ai pas vue.

– Pas grand-chose.

– Et... comment il s'appelle déjà ? Gérald ?

– Ça n'a pas fait un pli, affirma Valérie. Il a très vite vu qu'en termes de compétences, il pouvait repasser ! Je lui ai cloué le bec en dix secondes.

– Bien, ma chérie. Et côté cœur, avec Bernard ?

– Balancé, répondit Valérie d'un ton détaché. Écoute, j'ai passé l'âge des gamineries sentimentales. En plus, j'ai plein de boulot, alors me prendre la tête avec un type à qui il faudrait mettre la brosse à dents dans la main chaque matin, très peu pour moi. Ce ne sont pas les mecs qui manquent !

– Tout juste ! acquiesça Sylvie.

– Non, tu vois, ma chérie, les femmes comme nous font peur aux hommes. Trop de compétition. Ils ne peuvent plus s'endormir sur leurs lauriers. Allez... aux chiottes, Bernard !

– Et on tire la chasse !

– Bravo, approuva Valérie en hurlant de rire. On va se taper un bon whisky après ?

– Non... Deux, chérie.

Tant de galères. Valérie avait essuyé tant d'échecs et d'humiliations. Elle s'était fait plaquer par un mari qui ne l'avait plus supportée du jour où elle avait osé lui signaler qu'elle existait, puis foutre à la porte de son boulot, et de son appartement qu'elle ne parvenait plus à payer. Elle s'était presque retrouvée à la rue, sans argent, sans rien ni personne. Tout le monde l'avait lâchée. Il est vrai que, à l'époque, elle n'était pas encore un miroir. Au début, elle s'était bagarrée comme elle avait pu. Un jour – elle s'en souvenait avec une pénible netteté –, alors qu'elle attendait un bus, il lui avait été impossible de continuer à espérer. Elle ne parviendrait jamais à s'en sortir. Elle coulait à pic. La vraie peur était venue. C'est une associée dangereuse et crampon. Une fois installée, elle ne vous lâche jamais. Elle n'avait plus abandonné Valérie.

Dans un dernier sursaut, Valérie avait réfléchi. Elle était intelligente, jolie fille. Qu'est-ce qu'il lui manquait pour que les autres aient envie de la préférer au point de l'avantager, de la secourir ? Plaire. Plaire à tout prix. Lorsqu'on n'a pas le pouvoir, qu'on doute de l'obtenir un jour, la meilleure attaque consiste à plaire. Plaire, charmer, va bien au-delà du désir amoureux ou charnel. Plaire, c'est conforter l'autre dans son envie de vous aimer, de vous protéger, de vous aider, donc de vous favoriser. Plaire, c'est le désarmer de sa méfiance ou de sa lucidité. Certes, on tombe parfois sur des sujets retors qui reniflent la manipulation. Cependant, ils sont rares, alors, quelle importance ? Tant d'autres existent qui ne s'en rendront jamais compte parce que eux aussi ont besoin de croire qu'ils ont plu. Peu à peu, une théorie avait germé dans l'esprit de Valérie. Celle du miroir. Il faut toujours renvoyer aux gens l'image qu'ils attendent de vous. Devenir leur miroir personnel. Valérie l'avait appliquée. Avec méthode et doigté. Pour son plus grand bénéfice.

Lorsque Valérie se réveilla le lendemain matin, les tempes serrées dans l'étau abandonné par les quatre whiskys bien tassés et la vodka qu'elle avait ingurgités la veille, elle souffla de soulagement. Enfin une journée à elle. Après deux cachets d'aspirine et un bon bain, elle serait fraîche comme une rose. Une soudaine envie de balade la tira de sous la couette.

Ils lui cassaient les pieds, tous ces gens dont aucun ne savait qui elle était. Au fond, si elle en avait eu les moyens, si la peur l'avait un peu lâchée, elle serait volontiers restée seule, à se promener des journées entières dans sa tête.

Elle pénétra dans le petit dressing attenant à sa chambre et inspecta les tringles. Non, cette robe chasuble, c'était celle de la fille de maman. Ce tailleur sinistre, c'était celui de la petite fille sage de M. Monier. Beurk... cette jupe à godets crétins allait comme un gant à la frêle victime que protégeait Frédéric. Trop chargées de franges et de lacets, les fringues de l'amie-amour de Claude, âge mental douze ans, devenu millionnaire en ne faisant rien, sinon hériter. Quant aux pantalons ajustés de la copine-battante de l'autoritaire Sylvie, elle ne s'y sentait pas à l'aise.

Elle resta interdite. Qu'est-ce qu'elle choisirait, elle ? Aucune réponse ne s'imposa. Enfin, c'était impossible ! Elle ne savait même plus quel genre de vêtements lui plaisait. À elle. Un vide se forma sous son sternum. Qu'est-ce qu'elle buvait avant ? De la bière, du vin, des alcools forts ? Buvait-elle seulement ? Qu'est-ce qu'elle pensait avant ? De cela elle était certaine : un jour, elle avait pensé sans plonger son regard dans les miroirs des autres.

Ensuite, la peur s'était installée. Les autres, leur envie qu'elle soit ce qu'ils voyaient, ce qu'ils souhaitaient, étaient devenus ses outils de survie. Ses remparts. Elle avait disparu derrière.

Son carré court terminé, le caméléon rangea son portable dans son sac. La femme se leva. Je la suivis du regard. Soudain, mon trouble indéfini se précisa. Elle interprétait tant d'éclats d'êtres que je me demandai si elle était encore quelqu'un. Une unique quelqu'une.

La poupée dégonflable

Lors d'un dîner, chez des amis

Je n'aime pas blesser les gens. Nous sommes nombreux dans ce cas, me rétorquerez-vous. C'est exact. Toutefois, s'ajoute une particularité qui complique singulièrement ma situation : je suis une sauvage. Le fait d'être enfant unique n'a sans doute pas arrangé cette tournure d'esprit. Petite fille silencieuse, pour ne pas dire revêche, j'ai appris très vite à m'occuper, à me distraire seule. À la consternation des adultes qui m'entouraient, tentaient de me trouver des camarades, les appâtant si besoin à coups de somptueux goûters, je ne parvenais pas à comprendre la nécessité d'être deux pour jouer ou parler. D'aussi loin que je me souvienne, j'ai toujours soliloqué, me pressant de questions, m'interpellant, me contredisant.

Est-ce pour cette raison qu'il m'est ardu de parler avec les autres ? Peut-être. Faut-il y voir une manifestation de ma certitude que seuls les mots qui s'écrivent sont chargés du sens que je leur souhaite ?

Peut-être encore. Quoi qu'il en soit, je me sens étrangement à contre-courant lors des discussions de courtoisie, inévitable lot des dîners entre gens qui se connaissent à peine. On effleure les sujets, espérant ne pas tomber sur celui qui fâche. On tâte le terrain avant de se prononcer sur la moindre banalité. On fait poliment machine arrière lorsqu'on pressent une réaction adverse. Il s'agit d'une gymnastique pour laquelle je manque d'agilité. J'évite donc, autant que faire se peut, de la pratiquer.

Cependant, j'avais senti que je vexerais terriblement ce couple de relations – que nous nommerons les Lambert – si je refusais pour la troisième fois leur invitation.

Fort heureusement, ce soir-là, d'autres invités monopolisèrent l'attention, me permettant de dîner presque en silence, sans perdre une miette de la conversation.

Peu avant leur arrivée, Marine Lambert, notre hôtesse, se chargea d'anticiper les présentations. Nous apprîmes dans la foulée que les Lambert avaient rencontré le couple de retardataires lors de leurs dernières vacances au Japon. Lui était chirurgien esthétique, une pointure qui opérait dans le monde entier et dont le carnet d'adresses était truffé de noms de pipeuls et de célébrités. Ils étaient « bourrés d'argent » mais parfaitement charmants. La locution « chirurgien esthétique » produisit immédiatement son effet sur les autres femmes de l'assemblée. Il en est des professions comme des chaussures, elles connaissent leurs modes. Il y a quarante ans, « commandant de bord » faisait pâmer les demoiselles. Plus proche de nous, « neurochirurgien » connut ses heures de gloire. De nos jours « pointure-chirurgien-esthétique-bourré-d'argent » relève de la formule magique.

L'impatience montait, et j'avoue que je commençais à la partager lorsqu'ils sonnèrent enfin. Béatrice et Hervé. Âgée d'une trentaine d'années à peine, elle était d'une beauté à couper le souffle. Rares sont les moments où l'on a la certitude d'être le témoin de la perfection humaine. D'une minceur musclée, ses magnifiques cheveux blond vénitien tirés en chignon, Béatrice portait sa haute taille avec une étonnante élégance. Ses yeux bleus étaient étirés en amande vers les tempes. De belles pommettes hautes, saillantes, un joli menton bien dessiné, un petit nez droit parfaitement proportionné donnaient à son visage une grâce féline. Quant à sa silhouette, elle aurait fait verdir d'envie une top model de dix ans sa cadette. Lui avait la cinquantaine grisonnante. Plus petit que sa femme, un peu enveloppé, rien ne retenait l'attention chez lui, si ce n'était un regard d'une inhabituelle intensité.

Après nous avoir installés pour l'apéritif, Marine Lambert s'acquitta avec doigté de sa lourde tâche : poser des questions aux uns et aux autres, animer la conversation jusqu'à ce qu'elle prenne d'elle-même. J'y allai de deux commentaires sur le dur métier d'écrivain, une autre femme, banquière de son état, évoqua avec enthousiasme les prêteurs de deniers. Un jeune retraité collectionneur se fit intarissable sur les soldats de plomb de la Grande Guerre. Lorsque Marine s'adressa à Béatrice, qui jusque-là n'avait pas prononcé plus de trois mots, j'éprouvai un pincement d'appréhension. J'aurais été déçue si un manque d'intelligence ou une voix de crécelle avait défiguré la créature parfaite assise à côté de son mari. En effet, force est de constater que la nature est avare de ses dons, et qu'elle a tendance à reprendre ailleurs ce qu'elle a donné ici. Parfois, cependant, elle s'applique à démontrer qu'elle peut réaliser des prodiges. Tel fut le cas. Béatrice parlait d'une voix lente et grave. Elle raconta sa passion pour la brocante, se moquant gentiment d'elle-même puisqu'elle entassait dans leur maison de campagne de vieux clous irréparables mais si touchants qu'elle n'avait pu résister au plaisir de les sauver de leurs granges ou de leurs hangars. Son mari la couvait du regard, un sourire conquis aux lèvres. Lorsqu'il intervint, pour préciser que Béatrice était bien trop modeste puisqu'elle réalisait des merveilles de restauration, et qu'au fond, chacun de leur côté, leur mission consistait à réparer, je perçus distinctement trois soupirs : celui de Marine et de deux autres des convives féminins. Enfin, on en arrivait au sujet palpitant : la chirurgie esthétique !

Nous passâmes à table. La banquière, une certaine Véronique, se débrouilla pour s'installer en face d'Hervé. En dépit des louables efforts de Marine pour varier les sujets de conversation, il devint rapidement évident que seule la rectification des défauts physiques fascinait la tablée. Le pauvre Hervé se retrouva donc coincé, contraint à une sorte de conférence improvisée qui lui permettait à peine de porter sa fourchette ou son verre à ses lèvres. J'aurais parié que ce n'était pas la première mésaventure de cet ordre qu'il essuyait. Il parla de son métier avec tact et finesse psychologique, sans doute en partie grâce à un nombre non négligeable de soirées similaires, donc de répétitions. Il évoqua les drames, les vies gâchées, les ego piétinés par une difformité ou un accident, sans toutefois se leurrer sur l'escalade que pouvait parfois connaître le besoin de se créer autre et plus jeune. Installée contre l'arrondi de la table, déchargée de la tâche d'alimenter la conversation, mon regard passait des uns aux autres. C'est ainsi que je surpris les petits coups d'œil furtifs mais curieux de certains des invités. Béatrice en était la cible. Elle semblait si captivée par son mari qu'elle ne les intercepta pas. Quelques futés des deux sexes se demandaient ce que sa perfection physique tenait de la génétique ou devait au scalpel de son mari. Bientôt apparurent – en toute courtoisie – les deux clans classiques dans ce genre de circonstances. Les défenseurs de la nature à tous crins et les partisans de son amélioration par l'Homme. Je ne relaterai pas le débat qui s'ensuivit. On a déjà tout entendu et son contraire à ce sujet. Quant à moi, ma position est limpide : je ne vois pas l'intérêt de subir un défaut qui nous pourrit véritablement la vie quand on a la possibilité d'y remédier.

Au demeurant, cette sacralisation soudaine de la nature est étrange venant d'une espèce qui s'acharne à la dévoyer, à la martyriser au risque de disparaître sous peu. Hervé écoutait ses contradicteurs avec un sourire bienveillant. Sans même consulter Béatrice du regard, il contra d'un ton affable :

– Vous ne pouvez pas imaginer la détresse de quelqu'un de laid. Le monde n'est pas tendre. Et il s'agit d'un euphémisme. Nous sommes dans une société du paraître. Les disgrâces physiques vous ferment les portes, une multitude de portes. Portes professionnelles, amoureuses, portes de l'espoir. On peut, sans conteste, le regretter, toutefois, sommes-nous capables, sommes-nous désireux, d'inverser la tendance ? À l'inverse de ce que vous venez de dire, je suis convaincu que certains êtres sont les victimes d'une mauvaise farce de leurs gènes. Ils sont prisonniers, piégés dans cette vilaine enveloppe qu'ils ne reconnaissent pas comme la leur. Changer l'enveloppe, c'est leur permettre de devenir enfin eux-mêmes. Prenez l'exemple de Béatrice...

La banquière se redressa, à l'affût. Mon voisin de gauche inclina le torse pour détailler sans vergogne la parfaite créature. Je vis les narines du joli nez droit se pincer. Elle inclina la tête vers son mari et murmura, embarrassée :

– Oh, Hervé, pas cette histoire...

– Si, ma chérie, elle est très révélatrice. Lorsque j'ai recruté Béatrice comme secrétaire il y a une dizaine d'années, j'ai aussitôt été séduit par son intelligence, sa finesse et sa compassion. Pourtant, c'était une jeune femme solitaire, sans l'ombre d'un petit ami à l'horizon. J'ai perçu très vite chez elle ce désespoir particulier, fréquent chez mes patients. Pourquoi ? Eh bien, parce que Béatrice... n'était pas ce qu'elle est aujourd'hui.

Les yeux baissés, elle jouait nerveusement avec son alliance en brillants.

– As-tu la photo, ma chérie ?

Un nouveau murmure, presque inaudible :

– Oh... Hervé...

– J'insiste. Vois-tu, si les gens étaient plus ouverts sur ces choses-là, nous y gagnerions tous. (S'emportant sans élever le ton, il ajouta :) On voit telle chanteuse, plate comme une limande, réapparaître un an plus tard avec une magnifique paire de seins. Mais non, elle, la chirurgie esthétique ? Jamais ! Telle actrice de soixante ans qui grâce à une prétendue hygiène de vie et à la méditation en paraît soudain trente. De qui se moque-t-on ? Passe-moi la photo, chérie.

Elle la récupéra à contrecœur dans son sac à main et la lui tendit, puis avala d'un trait son verre de vin. Je vis le moment où la banquière s'affalait de tout son long en travers de la table afin d'arracher le cliché la première. La photo circula, libérant sur son passage des exclamations. Ces regards voraces qui allaient d'un portrait à Béatrice figée en bout de table me firent mal. Une seule autre parut gênée, effleurant à peine des yeux la photo avant de me la passer : Marine

Lambert. Sur le papier glacé, une grosse jeune femme sans charme forçait un sourire. Ses lunettes arrondissaient encore ses yeux. Le visage adipeux, dépourvu de méplat, semblait une lune. Un nez charnu et épaté en sortait, planté un peu au hasard entre des sourcils sombres et broussailleux.

La photo revint vers sa propriétaire. Hervé s'exclama, satisfait de son effet :

– Selon vous, qui est la vraie Béatrice ?

Je l'avais trouvé plutôt intéressant et plaisant jusque-là. Il commençait de me taper sur les nerfs. Ce déballage façon « avant », « après » avait un petit côté autopromotionnel. Je l'aurais sans doute accepté s'il avait utilisé une réclame consentante, ce qui ne semblait pas être le cas de sa femme. Il l'avait mise à nu devant nous, la livrant aux scalpels plus ou moins bienveillants de nos curiosités. Aux réactions admiratives de la plupart des convives, je dus pourtant admettre qu'il avait marqué un point. La soirée se poursuivit, animée. Au fond, elle n'avait perdu son charme que pour moi. Peut-être également pour Marine. Sans doute aussi pour la « chose Béatrice », qui avala sans respirer le contenu du verre que l'on venait de lui resservir.

Lorsqu'ils rentrèrent ce soir-là, Hervé était assez satisfait de sa prestation. De fait, il s'agissait chaque fois d'une sorte de pari : parviendrait-il à convaincre ses opposants ? La vieille photo de Béatrice était son argument choc, celui qui écrasait les dernières résistances. Comment, en la comparant avec sa magnifique épouse, ne comprendrait-on pas que la Béatrice d'hier avait été à l'étroit dans son corps trop gros, blessée par ses traits sans beauté. La Béatrice d'aujourd'hui était une femme assurée, rayonnante, dont l'enveloppe extérieure rendait justice aux qualités humaines. Béatrice était sa plus éclatante réussite, son chef-d'œuvre. Elle était la démonstration que le talent d'un homme peut rectifier les injustices de la nature. Le silence de sa femme, qui n'avait pas prononcé un mot de tout le voyage de retour, l'intrigua :

– Ça ne va pas, chérie ? s'enquit-il d'un ton jovial en dénouant sa cravate.

– Si, mon chéri. Un peu mal à la tête. Le vin, sans doute.

– Oh... Qu'il est tard. Je tombe de sommeil et j'ai une grosse journée demain. C'était une soirée très agréable, tu ne trouves pas ?

– Très. Marine est une délicieuse hôtesse.

– Je pense les avoir convaincus. C'est important. Il faut que les mentalités évoluent. Nous sommes quand même au troisième millénaire !

– En effet. Je vais me délasser dans un bon bain si cela ne t'ennuie pas.

– Pas du tout. Je serai probablement endormi lorsque tu me rejoindras. Bonne nuit, mon ange, sourit-il en déposant un baiser sur les lèvres de sa femme.

Assise sur le rebord de la longue baignoire, un grand verre de whisky à la main, Béatrice regardait les îlots de mousse parfumée et fumante flotter sur l'eau de son bain. Elle avala son verre d'un trait. Au début, la puissance de l'alcool la faisait tousser. Plus maintenant. En réalité, elle n'aimait pas tellement le whisky, ni la vodka d'ailleurs. Toutefois, c'était ce qu'elle avait trouvé de plus rapide pour se saouler. Ensuite venait le soulagement.

Elle ne supportait plus la représentation dont Hervé semblait se délecter. S'il avait été moins bien élevé, ou en compagnie plus complaisante, il lui aurait demandé d'enlever sa robe pour exhiber sa réduction mammaire et les différentes liposuccions qui avaient allégé sa silhouette. Après lui en avoir voulu de ces continuelles humiliations qu'il lui infligeait sans même s'en rendre compte, elle finissait par le détester. Non, ce n'était pas lui qu'elle détestait, mais elle. Hervé avait au moins le mérite d'être cohérent. La réelle passion qu'il éprouvait pour son métier se teintait d'une satisfaction d'alchimiste. Après tout, il transmutait la matière, il modelait l'informe pour en extirper la beauté. Ce n'était jamais elle que voyait Hervé. C'était le chemin qu'IL avait parcouru entre elle et elle. Elle était le rappel constant de son excellence à lui, rien d'autre. Sans doute était-ce pour cela qu'il l'avait choisie, épousée. Nulle prouesse à rendre encore plus belle une femme déjà jolie. En revanche, façonner un laideron relevait de la performance.

Elle s'approcha d'un grand miroir qui courait au-dessus des deux vasques rondes et se détailla, sans hâte. Où se trouvait-elle derrière cette peau, ces traits parfaits ? Le nez avait été refait, le menton aussi. Les pommettes avaient été créées, la ligne de front repoussée afin de dégager le visage. Les mâchoires avaient été rectifiées. Les lèvres avaient été repulpées. Enfin, les yeux avaient été étirés vers les tempes, donnant à son regard un charme félin. À la vérité, la nouvelle Béatrice ne regrettait pas la disparition de l'ancienne, qu'elle avait abhorrée et qui lui avait gâché ses vingt premières années de vie. Elle avait, au contraire, espéré en être totalement débarrassée, pour toujours. Et justement, c'était cela qu'elle ne supportait plus. L'ancienne Béatrice s'accrochait à elle, encouragée par Hervé, puisque, au fond, elle comptait davantage à ses yeux que la nouvelle version. La pathétique génisse était la preuve irréfutable du talent de son mari.

Elle récupéra la photo qu'il faisait circuler chaque fois qu'un auditoire captivé buvait ses paroles. La jeune femme adipeuse tordait la bouche en sourire. Une rage meurtrière secoua Béatrice. Elle récupéra ses ciseaux à ongles dans un panier et taillada de fureur le visage lunaire, informe, les gros yeux ronds qui affleuraient, le nez épaté.

Elle chancela et se rattrapa de justesse au porte-serviette. Elle refoula ses larmes, désespérée d'être passée à un cheveu du bonheur. L'ancienne Béatrice avait été moins malheureuse : sa vie avait été terne, morne et vide sans qu'elle songe un instant qu'il puisse en être autrement. Une sorte de fatalisme l'avait aidée à le tolérer. Le fatalisme avait volé en éclats devant l'espoir. Être soi, enfin. La nouvelle, la vraie Béatrice. Pourtant, elle n'était devenue qu'une extension d'Hervé. Une carte de visite. Les félicitations qu'il s'adressait à lui-même. Sa tristesse vira à la rancœur. Un deuxième long whisky l'aviva en même temps qu'il atténuait la peur du définitif. Elle approcha les ciseaux à ongles de son visage, inspira longuement et trancha la chair.

Le sang dévala longtemps, éclaboussant en chapelet d'étoiles l'émail blanc des vasques.

Quelques mois plus tard, une voix haut perchée, urgente, se déversa dans l'écouteur.

– Andrea... C'est dingue... Ahurissant...

– Marine ?

Je ne l'avais pas revue depuis ce dîner.

– Oui-oui... Comment allez-vous... ? Bien, moi aussi... Béatrice sort de chez moi à l'instant.

Préoccupée par une histoire de souterrains d'abbaye cistercienne, je ne compris pas pour quelle raison Marine souhaitait m'informer de son départ, ou même de sa visite, et restai muette.

– Elle divorce ! hurla presque ma correspondante.

– Ah bon... répondis-je d'un ton qui indiquait, bien involontairement, qu'il s'agissait là d'une information qui avait peu de chance de modifier le cours de ma journée.

Sentant mon manque de ferveur, Marine insista :

– C'est elle qui demande le divorce ! Elle le plaque, quoi ! Elle ne supporte plus d'être son catalogue de performances esthétiques. Elle a le sentiment de ne plus exister, de n'être qu'un terrain d'expérimentation, la chose de son mari.

– Et ça lui est venu d'un coup ? demandai-je.

– Sans doute le ras-le-bol couvait-il déjà, mais la goutte d'eau qui a fait déborder le vase, se sont les prothèses de fesses qu'il voulait lui implanter. Franchement, elle en a de jolies. Pas besoin d'un popotin supplémentaire. D'autant que j'ai horreur des gros derrières, poursuivit Marine. Nous avons papoté presque deux heures. Au début, elle débordait de reconnaissance pour lui. Il faisait une ravissante jeune femme d'une nana plus que quelconque et dont la vie n'avait rien de folichon. Et puis, peu à peu, elle a commencé à penser que ce n'était pas elle qui comptait. Elle n'était qu'un bout de viande. C'était lui le génie, le dieu qui transformait la matière à l'image qu'il souhaitait. Un doute insupportable est venu à Béatrice : et s'il ne l'avait épousée que parce qu'elle était laide mais qu'elle possédait une structure osseuse qui permettait les modifications qu'il projetait pour elle ?

À ce point ?

– Oui... Inutile de vous dire que cette nouvelle m'a soufflée ! Vous savez... J'ai remarqué que le coup de la photo vous avait déplu. Je ne savais plus où me mettre. Quel manque de considération !

C'est le moins que l'on puisse dire, en effet.

On s'en doutera, j'ai grandement préféré l'issue du divorce à celle de l'automutilation que j'avais imaginée. La poupée d'Hervé venait de s'échapper, et je souhaitai bonne route à la nouvelle Béatrice.

Le petit garçon écureuil

Dans un hôpital parisien

Les premiers faits s'étaient déroulés au beau milieu de mon bureau. Le petit bouledogue français, jaloux comme un pou, avait sauté à la gorge du labrador.

Bonne pâte, le labrador avait d'abord tenté de décourager le mordeur monté sur ressorts. Le teigneux en question avait interprété cette magnanimité canine comme une marque de faiblesse et d'allégeance, et redoublé de claquements de mâchoires. M'époumonant dans le très vain espoir de ramener les pugilistes à la modération, j'avais pressenti que la rixe tournerait sous peu au carnage. Les rottweillers sont des mimi-pinsons comparés à un labrador qui perd son flegme coutumier. Statistiquement, c'est à ces pépères joueurs que nous devons les blessures humaines les plus sérieuses. J'imaginais déjà le bouledogue râlant de douleur, exsangue sur le kilim de mon bureau.

Frisant la crise de panique, je m'étais jetée dans la mêlée, attrapant l'un par le collier, l'autre par une patte, vociférant, menaçant, et tirant comme une forcenée. Le collier du labrador m'était resté dans la main. Par un enchaînement que j'eus peine à reconstituer ensuite, ladite main avait terminé dans sa gueule. La confondant avec l'oreille du bouledogue dans la furie du moment, il y avait enfoncé ses crocs. Sans ménagement.

Sans doute l'histoire aurait-elle pu se terminer là. Mais le hasard, ou le destin, devait en décider autrement. Tant mieux.

Deux mois plus tard, je ne pouvais plus me servir du majeur. Embêtant pour une romancière qui tape ses textes à l'aide de trois doigts, au nombre desquels le susdit majeur. Je pris rendez-vous dans un hôpital parisien. Le tendon était sérieusement endommagé.

L'opération, quoique délicate, se déroula au mieux. Toutefois, dès après mon réveil, je commençai à me barber. D'autant que... ça m'ennuie de médire de cet hôpital. J'y ai été admirablement réparée. Mais la bouffe... la bouffe ! Il ne s'agissait pas de repas, mais bien de fricot, de tambouille, de pitance. Un machin ratatiné baptisé escalope de volaille. Une chose qui puait au point que je déposai aussitôt le plateau dans le couloir : aile de raie à la bretonne.

Le surlendemain après-midi, veille de mon départ, je n'avais rien ingéré depuis trois jours, à l'exception du bol matinal de café au lait et d'une pomme fatiguée par sa longue incarcération dans un réfrigérateur. Ancienne anorexique, le jeûne ne me pèse pas.

Il s'agit d'un involontaire basculement de cerveau. La faim disparaît. Manger ne se conçoit pour moi que dans le plaisir, ou, à tout le moins, PAS dans le franc déplaisir. Toutefois, j'avais perdu du sang lors de l'intervention. Je traversai donc la cour de l'hôpital pour rejoindre un bâtiment dans lequel avait été installé un distributeur de madeleines et autres barres chocolatées. Je m'assis sur un banc afin de grignoter mes deux sablés.

Il s'installa à mes côtés, le torse bien droit, les genoux serrés, les pieds perdus dans d'énormes baskets délacées. Mon biscuit à peine entamé à la main, je feignis de ne pas l'avoir remarqué. Une peine brutale m'avait envahie. Son bras droit avait été amputé à hauteur d'épaule. Il devait avoir dix ou onze ans. Un petit garçon dont les cheveux roux frisés, la silhouette menue et nerveuse m'évoquaient un écureuil. Le sablé m'écœurait soudain. Nous demeurâmes là, presque immobiles, sans un mot. Je sentais ses regards furtifs aller de mon profil au gâteau entre mes doigts. Les enfants sages sécrètent une implacable insistance qui se passe de mots pour se faire entendre. Je me tournai enfin vers lui. La vision de l'épais bandage qui couvrait son épaule orpheline me renversa le cœur.

– Tu as faim ?

Un peu... Ma mère a pas pu passer hier soir... À cause de la grève. D'habitude, le soir, elle m'apporte à manger. Pour le lendemain aussi. C'est pas très bon ce qu'on nous donne ici.

Un des euphémismes les plus outranciers que j'ai entendu de toute mon existence.

– En plus, la grève dure encore aujourd'hui. Peut-être demain aussi, poursuivit-il. Faut vous dire qu'on habite en grande banlieue. Ça fait super loin pour ma mère. Elle s'inquiète. Elle m'a téléphoné ce matin. Je lui ai dit de ne pas s'en faire, que je me débrouillerai. Mais la raie, c'était trop pas mangeable. D'abord, j'aime pas super le poisson et en plus, ça sentait pas top.

Encore un euphémisme. Je lui tendis le deuxième gâteau.

– Ça vous prive pas ? demanda-t-il, soudain inquiet pour moi.

Aparté : avez-vous remarqué que la vie est semée de jubilatoires moments d'anarchie mentale ? Un bout de votre cerveau évalue la situation, anticipe, sélectionne les différentes solutions souhaitables, rejetant celles qui lui paraissent inappropriées. Pourtant, vous vous entendez proposer quelque chose de radicalement différent et souvent d'inadapté... Pour ne pas dire d'un peu dingue. Fin de l'aparté.

– Non... J'irai nous en chercher d'autres. Ils ont des barres au nougat chocolaté et des marshmallows, si tu préfères.

Il s'agissait là de la possibilité « adéquate ». Il hocha la tête de soulagement en croquant avec voracité dans son biscuit. Il fixait avec obstination un point au loin, encourageant mon regard à l'imiter, à abandonner son épaule meurtrie. Je détournai les yeux, me plongeant dans la contemplation d'une jardinière de pensées jaunes et violettes. Une peine insistante me les rendait antipathiques. Je leur en voulais de leur éclatante gaieté qui, pourtant, m'avait séduite la veille. Je songeai à ce petit garçon estropié, aux difficultés qui l'attendaient sans ce bras. Je pensai à sa mère, au chagrin qu'elle devait s'efforcer de dissimuler, à son exaspération d'être bloquée dans sa grande banlieue, à son appréhension de savoir son fils seul dans un hôpital parisien.

– Tu t'appelles comment ?

– David.

– C'est un beau prénom. Un prénom fort mais tendre et joyeux. Moi, c'est Andrea.

– C'est joli.

Cela sortit sans que j'y prisse garde :

– D'un autre côté, tu ne vas pas te nourrir durant trois jours uniquement de gâteaux et de sucreries. Moi non plus, d'ailleurs !

Il me considéra, vivement intéressé par la suite. Ses jambes maigres battaient la mesure. Son sourire incertain découvrait deux larges incisives écartées en dents de la chance. Cruelle ironie.

La fameuse solution inadéquate, voire un peu dingue, s'imposa : se faire la belle, trouver un restaurant.

Nous complotâmes, établissant notre plan d'attaque avec minutie. Une heure plus tard, habillée de pied en cap, mon portefeuille coincé sous l'aisselle

– le sac à main étant trop révélateur et de nature à nous faire pincer –, j'entrouvris la porte de ma chambre, épiai les alentours et me faufilai au rez-de-chaussée à la manière d'une voleuse.

Parvenue à hauteur des toilettes dames, je retrouvai mon comparse, vêtu d'un sweat-shirt vert sombre dont la manche droite pendait comme un lancinant reproche. Prenant tous deux un air dégagé, nous nous dirigeâmes vers la sortie. Il marchait devant moi afin que je lui serve de paravent. Nous passâmes sans encombre le poste d'accueil.

Une fois arrivés sur le trottoir, un fou rire gamin nous plia. J'admets, j'avais eu un peu la trouille. Faire le mur ne me gênait pas, me faire épingler non plus, mais seule.

Nous optâmes pour un restaurant éloigné d'une centaine de mètres afin de célébrer notre fugue, l'une de ces grandes brasseries dont la carte manque certes un peu d'inventivité mais où l'on sert toute la journée de savoureuses et robustes entrecôtes accompagnées de frites. Je lui coupai sa viande en petits morceaux qu'il n'aurait plus qu'à piquer de sa fourchette. David avait un solide estomac. Enfin un invité qui ne me faisait pas le coup de l'appétit de colibri ! J'ai alors le désagréable sentiment que je me goinfre. Notre serveur le prit pour mon fils, ce que mes cheveux auburn rendaient plausible. Nous ne le détrompâmes pas. Au demeurant, il me vint durant notre conversation le regret que tel ne fut pas le cas.

Il me raconta l'accident qui lui avait coûté le bras. Les accidents sont toujours stupides et injustes. Dans le cas de David, l'aléatoire devenait inacceptable. L'enfant s'était glissé sous la camionnette du père d'un copain afin d'en examiner le moteur. Le frein à main n'était pas tiré. Le véhicule s'était ébranlé, écrasant son bras au-delà du remédiable.

Nous en étions au tutoiement.

– Tu comprends... À toi, je peux le dire... Avec maman, je fais comme si c'était pas si grave. Je lui explique que maintenant, les prothèses, c'est plus le capitaine Crochet. Elle a déjà trop de trucs sur le dos... Elle galère, ma mère, tu sais. Vachement. Elle est super courageuse. Elle se plaint jamais.

Je la voyais presque, cette femme. Elle prétendait y croire, luttant pour conserver un visage enjoué. Ils se mentaient l'un l'autre afin de se rassurer.

– ... Ce que je veux dire, c'est que ce bras, c'est quand même trop cata. Surtout que je ne suis pas gaucher. Enfin, pas encore, mais je vais m'y mettre, vite. C'est sûr qu'il y a des tas de métiers que je ne pourrai plus choisir, maintenant. Il faut que je trouve un super plan de boulot pour plus tard, un truc top. Parce que je dois m'occuper de ma mère et de ma frangine. Elles sont seules. Mais t'inquiète pas, je vais me débrouiller. C'est top bon, ici. Elle est super la viande.

– Oui, en fait, j'avais très faim, mentis-je en forçant un sourire satisfait de gourmande.

Je luttais depuis un moment contre les larmes. En réalité, j'aurais volontiers abandonné le reste de mon repas. Pourtant, son courage méritait un minuscule effort de ma part.

– Tu vois, maman... des fois, elle est trop crevée. Je vois bien qu'elle a pleuré. Elle nous baratine en prétendant que c'est le truc qu'elle se met sur les cils. Une sorte d'allergie. Ma petite frangine et moi, on sait bien que c'est du flan, mais on fait comme si. Ma mère, ça la rassure qu'on gobe ses mensonges. Elle sc démène pour nous. Alors, elle a vraiment pas besoin qu'on en rajoute une couche. J'ai pensé à plusieurs pistes pour mon boulot, dès que je pourrai...

Je regardai le petit homme de dix ans pendant qu'il m'expliquait avec amour et gravité, sans aigreur, sans même l'ombre de la peur, ce qu'il ferait de sa vie, ce qu'il planifiait afin que ses deux femmes vivent moins difficilement. Sa sœur – cadette de deux ans – était bonne élève. Il veillerait à ce qu'elle fasse des études. Sa mère, il l'aidait du mieux qu'il pouvait. Bien sûr, il était encore un peu petit. Dans quelques années, ça irait mieux. L'idéal, selon David, serait que sa mère trouve un type bien. Pas comme son père.

Nous terminâmes par une énorme portion de tarte Tatin, enfouie sous une montagne de crème fouettée. De quoi survivre jusqu'au lendemain. Je le fis beaucoup rire avec mon histoire de doigt. De fait, alors que sa manche se balançait à chacun de ses mouvements, ma mêlée canine et mon majeur en momie devenaient hilarants.

Nous rentrâmes une grosse heure plus tard en conspirateurs. Coupables, mais repus. Nous décidâmes du prétexte que nous servirions, l'air innocent, si jamais quelqu'un du service s'informait de notre courte disparition. Nous nous promenions dans les jardins de l'hôpital.

Je l'accompagnai jusqu'à son bâtiment. Il se hissa sur la pointe de ses baskets et je tendis la joue.

– Merci. C'était trop bon.

– Je trouve aussi.

– T'es encore là demain ?

– Je pars à midi. Je viendrai te dire au revoir.

– T'oublie pas, hein ?

– Promis.

Il tournait déjà les talons. Je le retins, et lui tendis quelques euros repêchés dans ma poche.

– Tiens...

– Oh non... trop, là ! Quand même...

– J'insiste. Si jamais ta mère ne peut pas venir et que tu as un creux.

– Ça serait chouette si tu la rencontrais. J'suis sûr qu'elle te plairait. Et puis, comme ça, elle pourrait te remercier.

Me remercier de quoi ? De m'avoir prêté son fils afin de passer un moment rare grâce à lui ? Un intermède précieux au cours duquel j'avais souhaité cent fois le meilleur à un petit homme brave et à ses femmes, m'émerveillant de la puissance de l'amour et de l'élégance de la dignité ?

Non. Je n'avais pas envie de la découvrir, cette femme. Je préférai continuer de l'imaginer.

Vers dix heures, le lendemain matin, je passai dans la chambre de David. Il ne s'y trouvait pas. Mon regard balaya le lit défait, les grosses baskets abandonnées, une pile de bandes dessinées en équilibre sur la table de chevet, le sweat-shirt vert sombre avec sa manche idiote posé sur le dossier d'un fauteuil, les trois flacons de Bétadine alignés sur la table en Formica. Je fondis en larmes.

L'ai-je revu ? Jamais.

Une des caractéristiques des moments précieux ne fait plus nul doute dans mon esprit : ils sont, par essence, fugaces. Il faut les saisir au vol, n'en laisser perdre aucune miette. Cependant, tenter de les reproduire est une hérésie vouée à l'échec.

Les larmes de la jeune fille

Dans un restaurant japonais, banlieue sud de Paris

J'aime déjeuner seule dans les restaurants. Le plus souvent, faute de place, on se retrouve entassés. On se tortille pour parvenir à ôter un manteau ou à allonger ses jambes sans risquer d'emporter la table voisine dans un geste trop large. Cette promiscuité imposée m'agace prodigieusement lorsque je suis en compagnie. Toutefois, elle me satisfait quand la solitude aiguise ma curiosité des autres.

Un serveur pressé, vêtu de l'inévitable kimono court à ramages bleu marine et blanc, me plaça devant une tablette si exiguë que je songeai qu'il me faudrait plaquer les coudes au plus serré afin de ne pas bourrer de coups le flanc du malchanceux installé à proximité. Justement, à moins de dix centimètres de mon épaule, un couple. Pas un couple, ainsi que je le compris en trois mots. Elle devait avoir tout juste vingt ans. Lui approchait de la quarantaine. Il avait l'assurance paisible de ceux qui ont réussi avec intelligence et sans trop de difficultés. Elle baissait les yeux, tripotait ses baguettes, hésitant à attaquer ses brochettes de crainte d'une maladresse. À l'évidence, il ne s'agissait pas de sa petite amie. Beau spécimen de la gent masculine, carrure de sportif, il était séduisant sans fanfaronnade. Elle était au mieux quelconque. Un petit menton indéfini, de maigres cheveux, une mollesse d'attitude assez déplaisante, des yeux d'un marron sans chaleur. Insipide. Les femmes qui liront ce préambule n'y verront nul mépris, juste un constat né de l'expérience. Un homme beau, qui a réussi, auquel la chance n'a pas envie de résister, choisit le plus souvent des maîtresses qui lui font accroire que le jeu continue, qu'il sera long et ardu et qu'il devra le gagner de haute lutte.

J'écoutais donc, cherchant à déterminer qui était qui. L'homme expliqua d'une voix douce, conciliante :

– Écoutez, Jennifer, vous êtes parfaite, je le sais. Vous travaillez énormément, vous êtes d'une fiabilité digne d'éloges, mais... (Sa voix baissa dans l'incertitude :) Il faudrait un peu de... comment dire... d'assurance... C'est important vis-à-vis des autres employés, mais aussi des extérieurs.

Elle leva un regard noyé de larmes vers lui, se mordant la lèvre.

– Je... Je n'ai pas d'autorité, monsieur Lavière. Je n'en ai jamais eu... (L'air bouleversé, admiratif, elle poursuivit :) Quand je vous vois, lors des réunions...

je me dis que vous êtes si à l'aise que ça doit être facile... Ça ne l'est pas.

– Tout peut s'apprendre, Jennifer, la rassura-t-il. On pourrait envisager une formation. Il y a des techniques...

– Je n'ai pas ce qu'il faut. (Elle refoula avec peine ses larmes et avoua d'un petit ton désespéré :) Je... J'ai tant appris grâce à vous... Mais je n'ai pas la... fibre. Je suis désolée de vous décevoir. Je voudrais... Enfin, je voudrais que vous me trouviez parfaite. Je sais bien le travail que représente votre agence littéraire. Vous l'avez créée de rien. Enfin, je veux dire... vous êtes un innovateur. Un homme qui fait des choses qui permettent aux autres de travailler, de vivre. Ça, c'est un truc tellement génial. Qu'est-ce que des gens comme moi feraient sans vous ? (Elle se passa la main sur le front). J'ai l'air d'une vraie idiote. Je... Je n'ose pas... Vous... Ce n'est pas du tout un reproche... Vous ne comprenez pas que les gens, enfin je veux dire moi, ne sont pas comme vous. Il nous manque... une énergie... un courage. (Elle plaqua sa serviette en papier sur sa bouche :) Je ne suis pas à la hauteur de vos espoirs. Je m'en veux. Avec tout ce que vous faites pour me permettre de réussir...

– Vous le méritez amplement, Jennifer. Vous savez, il s'agit de ma boîte... je ne peux pas me permettre de la menacer en employant des tocards.

– Quand même... Quand je suis arrivée, je n'arrivais même pas à me débrouiller avec le standard. Maintenant, je suis secrétaire de direction, grâce à vous.

Éric Lavière sourit à la très jeune fille assise en face de lui, tête baissée, lèvres pincées. Elle tenait les mains croisées sur sa jupe, jambes serrées comme les femmes de sa famille avaient dû le lui enseigner. Elle levait parfois les yeux, furtivement, répondant d'un ton apeuré à ses questions, tout en tâchant d'éviter son regard.

Jennifer était une petite brune aux cheveux trop fins et rares qui frisottaient aux pointes comme si on les avait contraints dans quelques rouleaux posés sans art. Elle avait des yeux étranges... d'un marron moyen qui n'évoquait pas grand-chose. Éric se demanda si avec une autre coiffure, un peu de maquillage et un tailleur élégant, elle serait moins insignifiante. Probablement pas : la mollesse sans charme des traits de son visage était impossible à corriger. Il s'était étonné de ce que même mince elle semble grasse, puis s'était rendu compte que cette impression naissait d'un petit menton mou et plat. Cela étant, Jennifer se révélait une parfaite secrétaire, infatigable et d'une efficacité qui ne se démentait pas.

Il réprima un sourire ému en songeant à la réaction qu'elle aurait si un jour il devait la sermonner. Afin de ne pas l'effaroucher, il usait toujours avec elle d'un ton affable, pas trop tendre de peur qu'elle ne s'inquiète, mais complice afin qu'elle comprenne qu'il ne la réprimandait pas. Une vraie gymnastique intellectuelle, qui, au fond, ne déplaisait pas tant que cela à Éric. Il devait substituer au « Mademoiselle, les lettres que je vous ai dictées tantôt sont bien parties, n'est-ce pas ? » un apaisant « Jennifer... avez-vous eu le temps de poster ces quelques réponses ? Ce n'est pas très urgent, mais bon... Autant s'en débarrasser ».

Jennifer choisissait pour lui répondre des phrases courtes, comme si elle craignait de s'embourber dans ses mots ou de produire un couac. Pourtant, Éric Lavière s'efforçait à la gentillesse, avec tous et principalement avec elle. Certes, de temps en temps, il secouait un de ses employés. Cependant, il mettait un point d'honneur à ne jamais se montrer injuste et à demeurer courtois en toutes circonstances, même lorsqu'il fulminait.

– Jennifer, avez-vous pensé à commander les cartouches de rechange pour nos imprimantes ?

Elle ferma un instant les yeux et déglutit avec peine, comme s'il venait de lui poser une question obscène.

Éric la détailla, un examen qu'il répétait périodiquement depuis qu'il l'avait engagée six mois plus tôt. À l'époque, il lui avait confié le standard. L'extrême timidité de Jennifer aurait dû l'en dissuader. Comment avait-il pu espérer que cette très jeune femme dont la voix tremblait sur chaque fin de phrase, si anodine soit-elle, pourrait résister plus de cinq secondes à la folle d'Auteure qui vivait recluse dans sa forteresse bretonne entourée de ses chats et de ses chiens ou à ses congénères écrivains qui suffoquaient d'outrage dès que l'on déplaçait une virgule dans leurs textes ?

Deux semaines plus tard, après avoir tenté de calmer les torrents de larmes de Jennifer, Éric lui avait attribué un poste de secrétaire qui lui épargnerait l'ironie cinglante de la folle, les crises de nerfs d'Olga Simmons – leur agent anglais – ou les tentatives d'extorsion de contrat des correcteurs ou traducteurs dont on ne voulait plus.

Enfin, la jeune fille parvint à murmurer :

– Oui, monsieur Lavière, je les ai commandées hier. J'en ai pris deux pour chacune des imprimantes pour que nous n'ayons pas de mauvaises surprises comme la dernière fois.

Encore une bévue de Céline, décidément, elle les collectionnait en ce moment. Éric avait cru comprendre qu'il se racontait des choses sur le compte de sa collaboratrice. Toutefois, il avait toujours mis un point d'honneur à ne jamais participer aux commérages de ses employés, ni même à leur prêter une oreille complaisante. N'empêche, elle commençait à sérieusement lui casser les pieds, au point qu'il avait décidé de lui confier une tâche subalterne et de la remplacer par Jennifer.

– C'est parfait. Je vous verrai tout à l'heure, Jennifer. Si Olga Simmons appelle encore de Londres, je ne suis pas là, n'est-ce pas ?

Elle rougit et il s'en émut.

– Il faut apprendre à mentir, Jennifer. Sauf à moi, bien sûr !

Elle ne comprit pas la plaisanterie et se contenta de rougir plus encore. Éric se demanda si la façon dont le sang lui montait brusquement au visage n'était pas douloureuse. D'habitude, lorsqu'une femme rougit, un fard léger lui colore le haut des joues. Chez Jennifer, des plaques rondes, violacées apparaissaient sur le front, le menton, et au-dessus des sourcils, et Éric songea que cet afflux devait être désagréable. Il en conçut un étrange apitoiement.

– Euh... non, je...

– Ce n'est rien. Il s'agissait d'une boutade, Jennifer.

– Bien, monsieur.

Elle referma la porte de son bureau derrière elle, sans un bruit. Du reste, il semblait à Éric que cette fille se mouvait sans provoquer le moindre son ou mouvement d'air.

Éric Lavière, en patron avare de son temps, avait appris à ranger ses employés dans des cases prédéfinies. Il y avait les efficaces, les fiables, les imaginatifs, les consciencieux. Il savait exactement ce qu'il pouvait attendre de chacune de ces catégories et se débarrassait des autres. Pour les femmes, cette classification se doublait d'une échelle d'appréciation, purement formelle puisqu'il était trop intelligent pour mélanger sexe et travail. Il y avait les baisables, les femmes inséductibles, et les saute-braguettes. Céline se rangeait dans cette dernière catégorie. Jennifer venait de lui faire ajouter une dernière classe féminine à son seul profit : les petites sœurs. Il se sentait pour elle une espèce d'élan protecteur et bienveillant dont il avait toujours ignoré l'existence jusqu'à ce jour. Avait-il lui aussi succombé à cette attirance de certains hommes pour le rôle de Pygmalion, d'initiateur lointain et pourtant toujours présent ? Il se demanda si cette envie de modifier l'âme et la matière de l'autre n'était pas la façon qu'avaient trouvée les hommes de donner le jour. Il n'éprouvait aucune attirance charnelle pour Jennifer, juste le sentiment confus et presque ridicule qu'il pouvait réparer une injustice, qu'il avait le pouvoir de la faire différente : une créature assurée et satisfaite d'elle.

Sa prétention le fit sourire. La crise nerveuse d'Olga Simmons qui menaçait de fondre sur lui d'une minute à l'autre s'il n'obtenait pas la signature de l'Auteure barricadée dans son manoir breton – une autre hystérique, paranoïaque de surcroît – tempéra sa bonne humeur. Si cette gourde d'Olga croyait qu'il prenait son pied à susurrer des paroles réconfortantes à la folle, malheureusement bourrée de talent et dont chaque nouveauté cartonnait en librairie ou sur les petits écrans, elle se foutait le doigt dans l'œil. L'Auteure en question lui avait déjà raccroché le téléphone au nez, hier, sur un cinglant :

– Je ne suis pas fabricant de savonnettes, mon cher ! J'écris, et pour écrire il faut en avoir envie : il ne suffit pas d'appuyer sur un bouton. Ça vient ou ça ne vient pas, c'est aussi simple que cela. Vous m'excuserez, il faut que je nourrisse mes chiens.

– Je comprends parfaitement, chère...

Il n'avait pas eu le temps de terminer sa phrase.

Un coup de téléphone du correcteur l'arracha à ses pensées, lesquelles s'ingéniaient depuis quelque temps à lui gâcher les journées. Les épreuves du dernier scénario de l'Auteure, laquelle collectionnait les fautes d'orthographe comme d'autres font des bons mots, étaient prêtes. Pouvait-il envoyer quelqu'un les chercher ? La voiture du correcteur l'avait lâché.

Il devrait y avoir une loi pour punir les associations d'emmerdeurs. Au fond, il détestait les auteurs, avec ou sans majuscule. Le problème, c'est qu'il vivait grâce à eux et que, de surcroît, il ne pouvait pas s'en passer. Plus exactement, il aurait été soulagé de ne plus jamais entendre parler d'eux, mais il avait développé un besoin presque viscéral de leurs textes. Découvrir, conduire, faire voir la lumière à un texte né dans les méandres obscurs d'un autre cerveau. Rejoindre cet esprit étranger dans une intimité enivrante, quoique dérangeante, durant quelques centaines de feuillets. Partir à sa recherche, emprunter à son tour les portes qui l'avaient mené du début à la fin d'une œuvre. Or, sans auteur, pas de texte ! Le plan typique de l'idole et du paillasson : je ne peux pas me passer de toi mais tu me pourris la vie. Plan réversible puisque Éric était convaincu que les auteurs pensent de même au sujet de leurs agents ou de leurs éditeurs.

Il appela Jennifer :

– Mon petit, pourriez-vous aller chercher des épreuves à cette adresse ? C'est urgent et précieux. Très précieux. Nous sommes en retard.

Il lui tendit un papillon autocollant jaune sur lequel étaient gribouillées les indications menant à la tanière du correcteur, ainsi que les clefs et les papiers de la voiture de l'agence.

Jennifer hocha la tête et disparut sans un mot.

Isabelle, une de ses secrétaires, une des quelques Inséductibles de l'agence, pénétra en larmes dans son bureau deux heures plus tard.

– Pauvre petite, oh, la pauvre petite ! Et il faut que ça tombe sur elle. Elle est déjà si timide et apeurée pour un rien. Les salauds ! Ils reniflent les victimes, comme les chiens reniflent un vieil os.

– Que se passe-t-il, Isabelle ?

– Jennifer s'est fait attaquer par deux crapules dans l'ascenseur de l'immeuble du correcteur... Et de jour ! Elle est en pleine crise de nerfs dans une cabine téléphonique.

Les ordures ! C'est vrai qu'ils reniflaient les individus fragiles.

Éric se leva d'un bond et attrapa sa veste.

– Où est-elle, je vais la chercher ! Je l'emmènerai chez les flics pour qu'elle porte plainte.

Il fonça sur l'autoroute. Connard de correcteur, il ne pouvait pas se déplacer ? Du reste, c'était également sa faute à lui, il aurait pu envoyer un coursier. La pauvre petite !

Il la trouva recroquevillée à même le sol de la cabine téléphonique située en bas de l'immeuble du correcteur. La cage de verre assombrie de tags sentait la pisse et la fumée de shit. Jennifer cramponnait les feuilles froissées du manuscrit contre sa poitrine.

Elle hoqueta dans ses sanglots :

– Je n'ai pas donné le texte, monsieur. Ils ont pris mon sac, mais pas le texte. Vous m'avez dit qu'il était très précieux. Je ne l'ai pas lâché.

Il la conduisit avec précaution vers la voiture et l'installa sur le siège. Une étrange douceur lui venait, se mêlant à la rage meurtrière qui le submergeait lorsqu'il pensait aux sales types qui avaient attaqué une gamine sans défense.

Elle refusa de se rendre au commissariat, de porter plainte, parce qu'ils l'avaient menacée de la tuer si elle les dénonçait. Éric tenta de lui expliquer qu'il s'agissait d'un piètre bluff, qu'ils ne pourraient pas la retrouver. Elle redoubla de larmes, arguant qu'ils avaient volé ses papiers et qu'ils connaissaient son identité ainsi que son adresse. Éric n'insista pas davantage. Il s'enquit de la somme d'argent qu'on lui avait dérobée, prêt à s'arrêter devant le prochain distributeur afin de la lui rembourser. Le petit menton plat trembla. D'une voix hachée, elle avoua qu'elle n'avait pas grand-chose sur elle, quelques euros, des photos de sa famille, de son chien resté dans le Nord. Un petit porte-monnaie usé dans lequel elle rangeait ce qu'elle nomma, dans un pauvre sourire, « ses grigris ». Une fève de galette des Rois, la seule qu'elle eût jamais trouvée, une bague sans valeur, cadeau d'une amie de collège décédée d'un accident de ski, une grosse pièce en chocolat, enveloppée d'une coquille de papier aluminium dorée. Son premier salaire pour avoir aidé sa grand-mère à remiser le bois.

– Rien d'autre, monsieur Lavière. Je ne possède rien de valeur. Et puis, maman m'a toujours dit de ne pas emporter ma carte bancaire ou mon chéquier dans mon sac. C'était un sage conseil.

Quelque chose dans cette ridicule énumération bouleversa Éric au point qu'il détourna le regard, attendri par la fragilité de cette jeune femme qui n'était encore qu'une petite fille. Durant tout le trajet qui les ramenait vers l'agence, elle répéta entre ses sanglots :

– Ils me menaçaient avec un couteau, je ne pouvais rien faire, n'est-ce pas ? Ils me menaçaient vraiment, vous savez.

Elle tirait son gilet de grosse laine ocre pour lui montrer la déchirure qu'avait abandonnée leur lame. Il sentit qu'elle cherchait désespérément à se prouver qu'elle n'aurait pas pu se défendre, qu'elle ne pouvait qu'être une victime obéissante.

– Bien sûr, Jennifer. Ça ne vaut pas le coup de se faire tuer pour quelques euros. Moi-même j'aurais cédé, et pourtant je suis de taille à me battre.

Il la conduisit jusqu'au bureau d'Isabelle, qui la serra dans ses bras :

– Oh, mon pauvre petit poulet. Allez, c'est un mauvais moment à passer. Il faut oublier, maintenant, hein ? Je nous prépare une bonne tasse de thé.

Éric sourit à Isabelle. Il semblait que ses trois enfants n'avaient pas épuisé les réserves d'affection maternelle de sa secrétaire. Quelqu'un de bien, Isabelle. Un peu trop discrète, aussi l'oubliait-on souvent. Oui, quelqu'un de bien, cette fois, Éric saurait s'en souvenir. La réaction de Céline, si elle ne l'étonna qu'à moitié, ne fit que confirmer l'exécrable impression qu'il était en train de se forger d'elle. Elle haussa les épaules et soupira : « Le principal, c'est qu'elle n'est pas morte et qu'ils ne l'ont pas violée. » Cette fille était décidément odieuse. Vulgaire, même. Après tout, peut-être ce qui se murmurait sur son compte, et quoi que ce fût, avait-il quelques fondements. Il faudrait qu'il se renseigne. La réputation de sa maison était aussi son affaire.

Éric conseilla à Jennifer de se reposer quelques jours, ou de les mettre à profit pour aller rendre visite à sa famille dans le Nord. Elle refusa et éclata à nouveau en sanglots. Bouleversé, il parvint à lui tirer la raison de ce chagrin qui le prenait au dépourvu. Elle aurait peur toute seule, et elle ne voulait pas affoler sa mère qui se remettait difficilement d'un cancer du sein. Et puis tout le monde était si gentil avec elle, ici, comme une famille, surtout Isabelle. Enfin, presque tout le monde. Éric ne demanda pas qui était la personne moins gentille que les autres, il savait. Il eut envie de la serrer contre lui mais n'osa pas de peur qu'elle n'interprète mal son geste, et qu'il n'ajoute à sa frayeur. Elle n'avait jamais évoqué, avant cet incident, sa mère malade. La terreur qu'elle éprouvait de sa solitude, préférant l'agence au vide, lui fit mal. Éric n'eut que très fugacement l'impression qu'il se laissait volontiers attendrir et que cette perméabilité au chagrin de Jennifer prenait des contours anormalement vifs. Il se rassura en songeant que la vie avait été particulièrement courtoise à son égard et que l'étrange bienveillance qu'il éprouvait pour la jeune fille était un signe, une sorte de remboursement superstitieux.

Au cours des jours qui suivirent, Jennifer retrouva progressivement son calme. Elle parvenait même à tolérer les plaisanteries au sujet de son agression, et de ses voleurs, sans que les larmes lui montent aussitôt aux paupières. Un jour, Éric lâcha :

– Ils ont encore beaucoup à apprendre avant de devenir Arsène Lupin.

Le sourire de Jennifer lui fit un bien fou. Une récompense.

Éric surprit à plusieurs reprises le regard mauvais de Céline posé sur Jennifer. Probablement était-elle jalouse de l'attention que tous lui prodiguaient. N'y tenant plus, il convoqua Jennifer dans son bureau. Elle s'installa, toujours un peu apeurée, mais il lui sembla qu'elle avait gagné de l'assurance en sa présence, et cette constatation le combla sans qu'il sache au juste pourquoi.

– Jennifer, ne croyez surtout pas que j'essaie de vous tirer les vers du nez...

Elle se mordit la lèvre supérieure et il eut peur d'avoir été trop direct.

– Vous savez, comme moi, que la bonne tenue de cette agence est fondamentale. Nous sommes coincés entre des éditeurs, des producteurs et des auteurs, et croyez-moi, ce n'est pas toujours une sinécure. Nous nous occupons des intérêts d'une gamme d'écrivains assez large et une bonne moitié de nos bénéfices proviennent d'œuvres de créateurs qui n'apprécieraient pas... disons, un laisser-aller de notre part. Bref, tout ce préambule pour vous expliquer que des ragots sur notre maison seraient très malvenus et générateurs de problèmes.

– Je ne...

– Non, attendez. Je me suis laissé dire des choses... embarrassantes au sujet de Céline. Qui plus est, elles me sont venues aux oreilles par l'extérieur.

Il s'en voulait de la mener en bateau. Il s'agissait au mieux de bruits de chiottes. Toutefois, il n'ignorait pas qu'elle ne lui confierait rien si elle avait une chance de se taire. Son petit visage sans grâce se ferma et elle baissa les paupières. D'une voix basse, étrangement ferme, elle déclara :

– Il ne m'appartient pas de juger les problèmes d'une collègue, c'est très mal, et puis je ne suis peut-être pas au courant de toutes ses raisons.

Il l'aurait volontiers embrassée même si, en l'occurrence, il s'agissait d'un refus caractérisé d'obéissance. Des images de femmes qui luttaient de toute leur faiblesse, de femmes qui choisissaient la mort plutôt que de faillir ou de trahir défilèrent dans son esprit. Il s'étonna lui-même de ces exagérations mélodramatiques, mais se rassura en pensant que tous les hommes redeviennent d'effroyables sentimentaux lorsqu'ils évoquent la mère, la petite sœur ou la camarade sacrifiée. Car il la sentait de cette trempe-là. Il la sentait faite de cette obstination peureuse qui peut, lorsqu'elle se fixe, soulever des montagnes. Tentant d'adopter un ton vaguement exaspéré, il conclut :

– Bien. Je comprends vos réserves, même si elles ne sont, en l'occurrence, pas justifiées. Vous pouvez disposer, Jennifer.

Il n'en demeurait pas moins qu'il avait appris ce qu'il voulait savoir : Céline était l'objet de commérages et la réaction de Jennifer prouvait qu'ils devaient être sérieux.

Leur réunion bimensuelle était déjà bien avancée lorsque Céline pénétra dans la salle. Il était dix heures du matin et elle avait une heure de retard. Elle s'excusa, inventant une vague histoire de train arrêté en rase campagne. Au regard gêné de ces dames, Éric comprit que quelque chose ne tournait pas rond. Elle était congestionnée, ce que n'expliquait pas le froid pinçant du matin.

Elle s'installa à côté de Corinne, c'est-à-dire deux sièges à droite d'Éric. Une curieuse odeur le troubla. Un relent de vieille sueur mal dissimulé par un déodorant tapageur. Il la détailla à la dérobée. Ses vêtements étaient en piteux état. Céline avait tout de la dame qui sort d'un lit qui n'est pas le sien et encore moins celui de son mari. Elle interrompit la réunion à plusieurs reprises pour des peccadilles sans logique, et commença d'agresser spécifiquement Jennifer au sujet d'une commande de sachets de café lyophilisé. Éric détestait les femmes incapables de se tenir. Les hommes aussi, au demeurant. Toutefois, selon lui, dans le cas des femmes, la mauvaise tenue devenait inesthétique en plus d'être gênante. Quant à subir ce genre de déballage inepte dès le matin, dans son agence, c'était une chose si invraisemblable qu'elle se traduisit par un sentiment de hargne contre Céline.

– Ça suffit ! Vous n'allez pas faire de cette histoire de cafetière un problème d'État, n'est-ce pas ?

Céline bredouilla :

– Non, mais...

– Il suffit, je vous dis. Nous devons débattre de choses largement plus urgentes. Si elles ne vous intéressent pas, vous pouvez sortir, personne ne vous retient.

Jennifer, tête baissée, le visage fermé, griffonnait d'un air contraint sur son bloc-notes, et Isabelle surveillait un interrupteur comme s'il s'agissait d'une tâche essentielle.

Éric convoqua Isabelle ce même après-midi.

– Bon, trêve de silences complices ! Je veux la vérité, vous savez à quel sujet. Que se passe-t-il avec Céline ? Nous ne sommes plus sur les bancs de l'école, et il est de mon droit d'être informé, je suis le patron de cette agence. Il ne s'agit pas de curiosité mal placée mais de rentabilité.

Isabelle hésita. C'était une femme posée et douce. D'un autre côté, Céline dépassait les bornes depuis quelque temps, et Jennifer semblait devenir sa victime de prédilection. Oh, ils y avaient tous eu droit, chacun leur tour. Cependant, tous étaient de taille à se défendre. Sauf Jennifer, une proie facile.

– C'est très embarrassant, monsieur Lavière.

– Écoutez, Isabelle, vous ne caftez pas un petit camarade par vacherie, vous participez à la bonne marche d'une entreprise dont la santé vous permet de vivre, je vous le rappelle.

– Ce n'est pas que je lui cherche des excuses, mais Céline... enfin, disons qu'elle traverse une mauvaise passe. Elle... Enfin, elle devient agressive pour des bêtises et il est exact que Jennifer est sa bête noire.

– C'est insupportable ! s'insurgea Éric Lavière.

– Et puis, il y a... ses insinuations. À l'en croire, les hommes se disputeraient ses faveurs. Elle en parle un peu trop pour que ce soit vrai. Je crois qu'elle ne supporte pas de vieillir et qu'elle essaie de nous mener en bateau avec des histoires de types pendus à ses basques. Le problème... c'est que c'en est devenu très gênant : on connaît tous Emmanuel, son mari. Un type gentil, même s'il n'a pas inventé la poudre.

– De mieux en mieux, commenta Éric Lavière que le dégoût gagnait. Ça dure depuis longtemps, ce cirque ?

– À peu près deux ans. Je crois qu'elle s'est fait plaquer par quelqu'un à qui elle tenait vraiment. Elle sanglotait pour un oui ou pour un non. Selon moi, elle n'est pas foncièrement méchante. Elle est malheureuse et il est vrai qu'elle peut devenir pénible. C'est dommage, c'est une fille intelligente, Céline.

Éric soupira d'aise : il savait enfin ! De sa vie assez dissolue, il s'était formé une image de la femme idéale qui aurait pu ressembler à Isabelle ou à Jennifer, une femme gardée. Avec une belle incohérence, Éric Lavière avait oublié qu'il fallait bien que certaines acceptent de se donner pour que les hommes puissent les avoir. Que si le sexe était à ses yeux au moins un acte d'amitié, il l'était également pour les femmes qui s'offraient. Étrangement, celles qui lui avaient résisté l'avaient exaspéré tout en forçant son admiration et sa tendresse. Au fond, Éric était à l'image de nombre d'hommes : l'acte de chair lui était aussi naturel que de respirer. Pourtant, dans le cas des femmes, il y associait une notion de laisser-aller coupable. Le manque de réserve de Céline le choquait. Bien sûr, Isabelle était une femme charmante qui tentait de trouver des excuses à une collègue. Pourtant, lui connaissait la vie et les êtres !

Les problèmes commencèrent quelques jours plus tard Le lundi matin, il trouva Jennifer en larmes sur son clavier d'ordinateur.

– Je vous jure, monsieur, je vous jure que j'avais tapé cette lettre vendredi avant de partir. J'avais même passé le vérificateur d'orthographe afin qu'elle soit prête pour votre signature ce matin.

– Et ?...

– Le fichier a disparu. Ce n'est pas moi ! La copie de sécurité a été effacée aussi.

Éric conclut à une étourderie, elle travaillait trop tard, et la rassura du mieux qu'il le put. Après tout, rien de grave, il suffisait qu'elle retape la lettre.

Ce soir-là, lorsqu'il partit, il trouva Isabelle agenouillée par terre. Elle semblait chercher quelque chose sous son bureau :

– Un ennui ?

– Mon chéquier s'est volatilisé.

– Vous l'avez peut-être oublié chez vous ?

– Non, j'ai remboursé Corinne qui m'avait avancé un peu d'argent pour un déjeuner. En d'autres termes, je l'avais encore à deux heures cet après-midi.

Ils cherchèrent sans succès durant un moment, retournant tout. Un doute commençait de s'insinuer dans l'esprit d'Éric.

Le lendemain, Isabelle pénétra dans son bureau. À son air grave, il comprit que quelque chose n'allait pas :

– Oui ?

– Monsieur, j'ai retrouvé mon chéquier sur le bureau, ce matin en arrivant.

– Nous l'avons peut-être déplacé sans le voir.

– Non. En réalité, je n'ai retrouvé que les bandes de mon chéquier. Quelqu'un l'a passé à la déchiqueteuse à papier.

– Vous avez des doutes ?
– En effet, mais ce ne sont que des doutes.
– Je vois.
Isabelle ne répondit rien, et à son silence Éric sut qu'ils partageaient des soupçons identiques sur l'identité du malfaiteur. De la malfaiteuse.

D'autres objets disparurent puis réapparurent abîmés, détruits. Il semblait que les victimes de choix fussent Isabelle et Jennifer. Corinne ne fut pas totalement épargnée. Toutefois, les mauvaises plaisanteries dont elle devint la cible restèrent assez minimes, comme si, afin d'égarer les soupçons, on tenait à l'inclure dans le lot des visées. Éric en conclut qu'ON en voulait à Isabelle d'avoir parlé et à Jennifer d'être la protégée du patron. Une colère comme il ignorait pouvoir en être capable contre une femme le tenait en permanence. Il avait déjà admis qu'elle devrait exploser un jour ou l'autre.

Ce jour arriva, plus vite qu'il ne l'avait craint ou souhaité. Il était tard, presque tous étaient partis sauf lui et Jennifer. Elle déboula sans frapper dans son bureau, les mains serrées sur ce qui ressemblait à une boule de papier blanc. Elle le fixait sans le voir, bouche ouverte, les tempes presque bleues. Elle écarta les doigts. Les fines languettes de papier tombèrent à ses pieds à la manière de paresseuses guirlandes, certaines s'accrochant au bas de sa jupe et à son collant.
– Qu'est-ce qui se passe ? Jennifer ?
– Je, je... dans les poches de mon manteau...

– Calmez-vous, expliquez-moi.

– Le manuscrit de l'Auteure... On l'a, il est... Je n'ai pas de copie ! Isabelle a dit que ça pouvait attendre, qu'il valait mieux saisir les corrections, que nous étions déjà en retard, que...

Ils restèrent à se fixer sans un son. Soudain, Jennifer hurla d'un ton suraigu.

– Garce, garce ! Elle l'a passé à la déchiqueteuse et elle a fourré les bouts dans mes poches de manteau ! Garce, pour me faire accuser !

Éric savait parfaitement de qui elle parlait. Une rage froide le figea. Un calme parfait lui vint qui lui permit de consoler Jennifer et de la raccompagner à sa voiture. Il remarqua, accroché au rétroviseur par un ruban de satin rose, un ourson de petite fille, une peluche fatiguée et râpée par des années de tendresse. L'ourson portait un curieux bonnet de Savoyard à rayures rouges, qu'on avait rafistolé malhabilement avec du fil bleu marine pour le faire tenir sur la tête du jouet. Et l'ourson nourrit sa haine. Il allait attendre le lendemain matin et il ne la raterait pas.

Céline était assise dans le fauteuil qui faisait face à son bureau. Sa jupe, déjà trop courte, remontait encore pour découvrir son porte-jarretelles. Cette constatation satisfit Éric parce qu'elle allait dans son sens, celui qui démontrait que la femme trop maquillée qu'il avait convoquée n'était qu'une allumeuse débauchée. Elle arborait un petit sourire goguenard. Pourtant, il sentait sa peur, il la détectait à la crispation de ses mains sur les accoudoirs du fauteuil. Il avait pas mal hésité au cours de la nuit blanche qu'il lui devait : resterait-il homme du monde, ou laisserait-il aller tout le ressentiment qu'il avait accumulé à son égard ?

Il se décida brutalement :

– Vous êtes un être malfaisant, Céline, une de ces femelles que je n'aime pas et dont je ne veux pas autour de moi. Pour tout vous dire, vous polluez mon atmosphère avec votre méchanceté.

Elle se redressa. Son visage se glaça. Elle ouvrit la bouche pour se défendre, mais il l'interrompit :

– Taisez-vous, je n'ai pas fini ! Je sais tout de vos manigances, de vos lamentables saloperies. Je me fous de vos problèmes et de vos raisons. De toute façon, elles sont mauvaises. Je vous vire, séance tenante... Et, Céline, comptez sur moi, je veillerai à ce que vous ne retrouviez pas de travail dans notre milieu ! Sortez !

Céline se leva et lissa sa jupe sur ses cuisses. Elle tentait de maintenir un sourire conquérant. Pourtant, il comprit qu'elle retenait ses larmes et cette constatation l'apaisa.

– Une chose, monsieur Lavière, et je ne vais pas m'en priver maintenant. Vous êtes un pauvre type. Cette sainte-nitouche vous a entortillé avec ses mines de pauvre petite fille... Remarquez, vous faites la paire avec cette gourde d'Isabelle. Demandez donc à Corinne ce qu'elle en pense ! Et puis non, elle ne dira rien, elle hurle toujours avec les loups. Un de ces jours, vous allez avoir une grosse et très désagréable surprise !

Elle sortit en claquant la porte. Pitoyable baroud d'honneur !

La gêne inévitable qui entacha les jours suivants se dissipa graduellement. Éric constata avec satisfaction que tous étaient soulagés du départ de Céline. Il apprit, au gré des confidences qui se libéraient, d'autres détails déplaisants sur son compte, qui ne firent que le conforter dans sa décision.

Il comptait annoncer à la prochaine réunion, qui se tiendrait la semaine suivante, la promotion de Jennifer. Elle devenait son assistante. Il faudrait lui suggérer avec tact de changer de garde-robe. Après tout, elle voyagerait avec lui, l'accompagnerait à des cocktails de l'édition, déjeunerait avec des auteurs ou des journalistes. Au fond, Éric s'était convaincu que le mieux était de la forcer à pénétrer dans l'arène afin de s'aguerrir.

Étrangement, alors qu'il ne doutait pas d'avoir agi avec élégance, et de son plein droit, la nouvelle du suicide de Céline, un mois plus tard, l'atterra.

Son veuf lui demanda par lettre un entretien. Éric accepta, il le devait, bien que craignant un scandale. Il avait tort. Emmanuel, l'homme déchiré qui refusa de s'asseoir, lui parla d'une voix altérée d'une femme qu'Éric ne connaissait pas. Céline avait galéré pour les tirer, lui et leur fils, de l'ornière. Lui était un raté. Emmanuel se faisait renvoyer de partout, collectionnait les échecs. Il ne pouvait pas, ne parvenait pas à vivre dans ce monde. Céline payait les dettes, le sortait de ses histoires, et élevait leur enfant, sans même lui en vouloir, parce qu'elle le savait lâche et incapable de lutter. Elle le méprisait, bien sûr, après tout, il était méprisable. Toutefois, elle se sentait une obligation vis-à-vis de lui. Il en avait profité, il s'en voulait. Cela étant, comment faire autrement ? Elle était dure. Personne ne lui avait permis d'être douce. Quant aux hommes, oh... elle en inventait la plupart, et après tout, lui avait assez fait la preuve de sa médiocrité pour qu'elle cherche un peu de rêve ailleurs.

Lorsqu'il tendit la feuille de papier bleu à Éric, celui-ci refusa de la prendre, en rétorquant :

– Écoutez, monsieur... Vos histoires privées ne me regardent pas. Je suis... navré, vraiment, du décès de Céline... cela étant, j'ai pris, en la licenciant, une décision professionnelle. Rien d'autre.

L'homme dévasté hocha la tête. Il avait décidé pour une fois de ne pas laisser aller les choses. Pour une fois, il se forçait à avoir mal de quelqu'un d'autre que de lui-même. Le chagrin mou, égoïste et peureux dans lequel il s'enfonçait depuis une semaine était une injure de trop contre Céline. Il lut :

> *Je suis désolée, Emmanuel. J'en ai assez, débrouille-toi sans moi, je suis fatiguée. Je croyais que je pourrais y arriver, encore une fois. Je me trompais. Je glisse, Emmanuel. Je glisse et je n'ai plus envie de me retenir.*

Éric traîna dans son bureau tout le reste de la journée, relisant un manuscrit, rédigeant une lettre, répondant à ses mails. Évitant de repenser à cette lettre bleue. Lorsqu'il décida de rejoindre sa voiture, la nuit tombait. Il ne voulait pas se sentir responsable de cette mort, du reste, Céline ne parlait pas de son renvoi dans son ultime message. Et puis peut-être, en effet, avait-elle joué de malchance, il n'en demeurait pas moins qu'elle avait commis des actes impardonnables, contre des gens qui ne lui avaient jamais nui. Toutes ces disparitions, ces destructions.

Il s'absorba dans la lettre qu'il devait envoyer à cette folle d'Olga Simmons. Il avait oublié de demander à Jennifer de la saisir. Il lécha l'enveloppe d'un air pensif et songea qu'il la posterait lui-même ce soir pour qu'elle parte au plus vite. Il chercha en vain un timbre. Bon, il se débrouillerait avec la machine à affranchir, ça ne devait pas être sorcier. Il se dirigea dans les bureaux sombres, jusqu'à celui de Jennifer qui rangeait la machine dans un tiroir de peur qu'un indélicat n'en abuse. Il sortit son passe de sa poche et ouvrit le tiroir. Il tira l'appareil. Un cliquètement métallique le surprit. Il plongea la main au fond du tiroir et en extirpa un petit objet... Un couteau de camping dont Jennifer se servait parfois. Lorsqu'il le retourna, quelque chose caressa son index. Le regard d'Éric tomba sur les fils de laine pincés sous la lame... deux brins de laine ocre. Celle de la veste de Jennifer, lacérée par des voyous d'invention.

Un vide gigantesque le déséquilibra. Il se cramponna au rebord du bureau, lâcha le couteau qui rebondit au sol. Il entendit nettement la voix de

Céline, alors qu'elle luttait contre les larmes, résonner dans son esprit : *Un de ces jours, vous allez avoir une grosse et très désagréable surprise !*

L'homme, celui que Jennifer avait appelé monsieur Lavière, baissa la tête vers son assiette, un sourire un peu contrit jouant sur ses lèvres. Je vis son regard à elle se lever. Le marron indifférent avait pris une curieuse nuance, presque minérale, dense. Elle le guettait. Elle utilisait sa prétendue infériorité pour renchérir sur la supériorité qu'il ne doutait pas de posséder. Une tactique classique. J'appréciais la manipulation à sa juste valeur. Elle le consacrait chef de meute, d'une essence différente du commun des mortels. Avec l'aisance des vainqueurs qui ne se rendent pas compte que leur adversaire leur a mâché la partie, parce que perdre revenait à gagner pour lui – pour elle –, il déclara :

– Je sais, c'est parfois difficile. Mais nous y arriverons, Jennifer. Allez, dégustez votre repas et ne vous cassez pas la tête.

J'étais certaine qu'il se sentait gêné de l'avoir poussée à l'aveu de ses carences. Il louait sa sincérité, pensant sans doute qu'elle avait dû peser à la jeune femme alors que Jennifer était en train de le mener exactement où elle le voulait. Vers la pitié. Les hommes forts résistent mal à la pitié. C'est une de leurs plus jolies faiblesses.

La toile d'araignée de Jeanne

Dans une pizzeria, non loin du Mans

Le Perche est défini par une jolie silhouette de dentelle qui emprunte à trois départements. J'avais donc sillonné l'Eure-et-Loir, la Sarthe et l'Orne depuis le tôt matin, écumant les jardineries de la région à la recherche de douze mètres cubes de terre de bruyère. Brillante idée que de s'entêter à créer un jardin breton en sol percheron ! Un vrai parcours du combattant. Mieux vaut s'intéresser à l'enrichissement par centrifugation de l'uranium 238 en isotope fissible. Il doit être moins compliqué de se procurer de la pechblende que de la terre à gardénias.

J'avais eu la douteuse finesse d'acheter camélias, rhododendrons et hortensias avant d'avoir trouvé le terreau approprié. D'humeur incertaine, je les imaginais, ratatinés sous l'effet d'un humus trop alcalin pour eux.

Je décidai d'envisager moins sombrement le futur de mes plantations en me sustentant d'une pizza.

La grande salle à manger était presque déserte en ce jour de semaine, excellent augure dont je conclus que le service serait rapide. Je pouvais espérer reprendre la traque à la terre de bruyère au plus vite. Je me trompais.

Vous étiez déjà attablés et buviez un kir. On me plaça à une table de vous. N'est-elle pas sidérante cette propension de certains restaurateurs à concentrer les clients dans un espace restreint, alors même que leur établissement est presque vide ?

Je crus d'abord à un déjeuner de famille. Un couple d'une trentaine d'années accompagné d'une vieille dame. Elle me semblait un peu trop âgée pour être la mère de l'un d'eux, trop jeune pour le titre de grand-mère. Ce n'est que lorsque vous passâtes commande que je compris que la frêle dame n'était pas de votre parenté. On avait rehaussé l'assise de sa chaise d'un coussin, comme on le fait pour les enfants.

– Jeanne, qu'avez-vous choisi ? s'enquit dans un sourire la jeune femme dont je remarquai le début de grossesse.

– Oh, voyez-vous, Agnès, je mange petitement... Je vais me laisser tenter par une bonne calzone et puis une assiette de tagliatelles à la carbonara. Il faut que je sois raisonnable... vous connaissez mon faible pour les mystères, et j'en ai vu sur la carte... je n'en ai pas dégusté depuis au moins six mois...

Fichtre ! Je me vante de posséder un robuste coup de fourchette. Toutefois, j'hésiterais à commander une pizza, suivie d'un plat de pâtes – surtout carbonara –

pour terminer par une glace. Où mettait-elle tout cela ? Elle était menue, si fragile qu'on aurait cru un délicat moineau des roches. Ma curiosité se teinta d'admiration pour un métabolisme digne de ce nom.

Le couple fut relativement plus frugal, Agnès se contentant d'une salade de magret de canard suivie de scampi fritti, et l'homme – dont j'ignorais toujours le prénom – d'une pizza et d'un dessert.

– Et comme vin, Jeanne ? Que préférez-vous ?

– Je n'y connais pas grand-chose, Didier. Mais, ma foi... j'ai déjà goûté du chianti et l'ai trouvé fort bon.

Je délibérai : primavera ou quatre-saisons ? Reine peut-être ? Comment se fait-il que je ne parvienne jamais à trouver une pizza qui contienne tout ce que j'aime ? Manquent toujours l'œuf, ou les cœurs d'artichauts, ou encore les poivrons.

Un bon quart d'heure s'écoula avant que le patron revienne prendre ma commande, n'arrangeant pas mon aigreur. Enfin quoi ! Deux tables seulement étaient occupées. Près de vingt minutes afin de se munir d'un crayon et d'un calepin, on frôlait l'abus. Je tuai le temps en écoutant votre conversation. Vous sembliez si heureux de vous trouver ensemble, si contents les uns des autres que ma mauvaise humeur n'y résista pas.

– En tout cas, Jeanne, c'est vraiment gentil à vous de nous avoir permis de nous installer, conclut Didier en hochant la tête d'un air grave.

– Oh, mon petit... Ça faisait plus de deux ans que vous payiez. Je me doute de l'effort financier que ça représentait, surtout que vous aviez un autre loyer sur les bras. (Elle sourit, un brin coquine, et ajouta :) Je ne voulais pas que nous nous retrouvions dans la situation de ce film si drôle, avec tous ces bons acteurs... Michel Serrault, et Galabru et puis encore Rosy Varte... Comment ça s'appelait déjà... ?

Le Viager, complétai-je silencieusement pour elle. Un film savoureux, en effet. L'histoire d'un pauvre employé parisien cacochyme, crachotant ses poumons, bref un pied dans la tombe, l'autre sur une peau de banane. Son médecin traitant saute sur la bonne affaire. La famille du praticien achète en viager la maison tropézienne du retraité malingre. Mais l'air de la mer, le soleil, l'huile d'olive... bref le rond-de-cuir maladif se requinque. Il les enterrera tous, alors même qu'ils tentent de lui faire rejoindre un monde meilleur en savonnant les escaliers de sa petite maison, en sciant les rambardes des fenêtres, ou en le dénonçant comme résistant à la Gestapo.

– Et puis, poursuivit Jeanne, *La Renardière* est si grande. Je m'y sentais très solitaire. J'aime bien la compagnie. La bonne compagnie. Et le bébé à venir... Quelle nouvelle épatante ! Je pourrai m'en occuper pour vous décharger un peu, Agnès. (Sa voix trembla soudain, elle ajouta d'un ton douloureux :) Quand ma Louise est morte... elle avait quinze ans... Ah, non, se reprit-elle. On ne parle pas de cela, c'est trop terrible. Je ne veux pas gâcher une journée si plaisante.

Une sincère compassion se peignit sur les visages du couple. Didier lui servit un peu de vin, Agnès lui prit la main et la frôla d'un baiser. Je les trouvais décidément charmants tous les trois.

Le sourire revint sur le visage joliment ridé, éclairant un regard très bleu. Jeanne précisa :

– Une chambre et un petit salon me suffisent amplement. Surtout avec le joli papier peint que vous avez posé, Didier. Ça égaye. Elle devenait sinistre cette grande baraque, avant votre installation. J'y vivais seule depuis si longtemps. D'ailleurs, je me trouve bien bonne mine depuis que vous êtes auprès de moi. (Ravie et espiègle, elle acheva :) Du coup, on peut dire que c'est moi qui ai fait une bonne affaire.

– C'est vrai que vous semblez en meilleure santé que lorsque nous vous avons rencontrée, approuva Agnès d'un ton satisfait. Toute pâlotte avec ces grands cernes...

– Nous aussi, nous avons fait une bonne affaire, renchérit Didier. Vous êtes une grand-mère rêvée. Je n'ai pas connu les miennes.

– Je ne me souviens que de la mère de papa, enchaîna Agnès. Désolée de médire des défunts, mais c'était une vraie bourrique.

– Alors, tout est pour le mieux dans le meilleur des mondes, puisque nous nous sommes trouvés. Le hasard fait parfois bien les choses, résuma Jeanne d'un ton beaucoup trop finaud pour que je gobe qu'il avait présidé seul à leur improbable réunion.

Elle attaqua sa calzone fumante avec un bel appétit.

Deux ans plus tôt. Une grande ferme percheronne

Le visage pâli de talc, des cernes factices ombrés à l'aide d'un pinceau, vêtue d'une robe trop ample qui la faisait paraître décharnée, Jeanne Thilleux attendait. Assise dans le grand salon lumineux, les mains croisées sur les cuisses, elle faisait jouer son alliance autour de son annulaire. Un signe d'extrême nervosité chez elle. Avait-elle l'air assez maladive ? Elle vérifia sa mise, rapprocha la canne anglaise qu'elle avait posée contre le dossier de son fauteuil et soupira.

Comment seraient les nouveaux ? Ceux qu'elle avait rencontrés quinze jours auparavant lui avaient franchement déplu. Des pisse-froid qui jaugeaient chaque recoin de la vaste demeure comme s'ils en prenaient déjà possession. La femme surtout était désagréable, inventoriant les nombreuses pièces du regard, une moue calculatrice sur le visage, évaluant les lés de papier peint et les seaux de peinture qu'elle devrait acheter dès qu'ils s'installeraient, c'est-à-dire dès que Jeanne aurait passé. Du coup, Jeanne en avait eu assez de leur présence. Abandonnant sa comédie de préagonisante, elle s'était débarrassée de sa canne, avait redressé le dos, trottinant de-ci de-là sous le regard médusé du couple. Afin de les pousser au plus vite dehors, elle avait doublé le loyer qu'elle exigeait pour le viager.

Quelle appréhension ! Elle avait déjà rencontré une bonne dizaine de couples. Tous, bien sûr, étaient intéressés par la belle maison robuste en pierre de taille, les vastes dépendances aux arches rondes, le grand four voûté qui avait servi jusqu'après guerre à la cuisson des pains du village voisin. Une ancienne exploitation de percherons, du temps où les valeureuses bêtes tiraient les diligences d'Amérique. Quatre familles logeaient jadis à *La Renardière*. Il ne restait plus qu'elle.

Louise, ma Louise. Je suis bien certaine que c'est toi qui m'as soufflé ce plan, ma chérie. C'est une bonne idée, encore faut-il rencontrer ceux qui nous iront comme un gant d'élégante facture.

Louise sa fille, son unique enfant. Ange tendre qui accompagnait chaque instant de la vie de sa mère depuis si longtemps. Jeanne parvenait maintenant à s'interdire de revoir le petit visage rongé de fièvre et de maladie. Louise souriait pourtant. Son ultime soupir avait caressé son beau sourire. Une leucémie l'avait emportée à quinze ans, laissant Jeanne si dévastée, si assommée qu'elle n'avait pas senti que la mort s'obstinait dans son office. Claude, son époux, avait rejoint Louise un an plus tard.

Cher Claude, nous avons bien vécu, n'est-ce pas ? J'avoue, mon Claude, que je devais avoir épuisé mes réserves de chagrin. Elles étaient pourtant insondables. J'avoue honteusement que ton départ ne pouvait pas lutter contre le désespoir que m'avait causé celui de Louise. M'en veux-tu ? Sans doute pas. C'est si loin maintenant, et tu étais un homme bon.

Jeanne vérifia l'heure à la montre en or que lui avait offerte son époux pour ses trente ans. Si loin, en effet. Tant de temps. Tant de solitude. Oh, certes, elle parlait à Louise, discutait avec Claude. Gentils fantômes accueillants. Pourtant, Jeanne et *La Renardière* s'ennuyaient. Terriblement. Leur manquaient les rires, les bavardages de présences amies. C'est fou ce que cela peut prendre de place le vide. Ça envahit tout, ça s'immisce dans le plus petit coin. Ça vous embarrasse la tête au point que vous restez des heures le cerveau embué de néant. Ça vous colle aux semelles dès le matin. Ça se faufile dans vos chaussons au soir. Onze heures moins dix. Les prochains visiteurs n'étaient pas en retard. Pourtant, l'impatience gagnait Jeanne.

Étrange la façon dont les choses s'enchaînent parfois. Quatre mois plus tôt, la télévision avait rediffusé ce film très distrayant qu'elle avait déjà vu deux fois. *Le Viager*. D'abord, elle avait pouffé. Ensuite, peu à peu, l'idée avait germé.

Le lendemain, après une nuit de réflexion, Jeanne était décidée. Elle était passée à l'attaque dans la semaine. Elle avait rédigé une annonce, consulté deux agences immobilières, sans oublier son notaire. Elle s'était fait l'effet d'une redoutable araignée tissant sa toile fatale. Une très ancienne araignée. Très futée, aussi.

Elle avait fourbi ses armes, répétant devant le grand miroir de l'armoire chapeau de gendarme de sa chambre. La cassure d'un dos témoignant d'arthrose. Une voix faible, un rien grelottante. Un léger tremblement des mains. Une démarche difficile et pesante. Parfois, une longue inspiration rauque du meilleur effet. Dans la foulée, elle s'était offert le premier fard à paupières de son existence dans une parfumerie voisine. Mauve. Parfait pour dessiner des cernes malsains. Enfin, elle avait fixé les mensualités du viager. Pas trop importantes afin de ne pas décourager d'éventuels prétendants. Assez cependant pour éviter d'inquiéter.

Jeanne n'avait pas besoin d'argent. Elle survivait sobrement mais sans inconfort de sa retraite et de la réversion de celle de Claude. En revanche, elle avait désespérément besoin de revivre. La mort lui devait bien cela. Laide qui l'avait escroquée de la plus grande part de sa vie. Et puis, autant l'admettre : le futur de sa belle *Renardière* la préoccupait. Elle n'avait nulle envie que de lointains cousins la dépècent, la bradent avant de se partager les restes.

Jeanne en avait éconduit des aspirants au viager depuis quatre mois ! Parfois, l'angoisse l'étreignait : et si elle ne trouvait pas les bons ? Elle se rassurait bien vite. Louise et Claude veillaient sur elle. Ils allaient lui dénicher les parfaits candidats.

Enfin, la sonnette. Jeanne se leva d'un bond et fonça vers la porte avant de se raviser. Elle récupéra sa canne et se plia, avançant en traînant des pieds. L'idée, certes un brin cynique, était de faire accroire à un désastreux état de santé. Rien ne doit être plus décourageant pour des gens qui achètent en viager qu'un petit vieux pétant la forme. L'avantage de ce simulacre était double. Lorsque les visiteurs ne lui plaisaient pas, elle redevenait leste et débordante de vitalité. Jusque-là, tous avaient pris la poudre d'escampette, songeant qu'ils venaient d'éviter un piège et d'échapper à une calamiteuse affaire.

Jeanne avait plus d'un tour dans son sac. En admettant qu'elle se trompe dans son choix et se retrouve avec des individus ne lui convenant pas, elle mettrait un point d'honneur à vivre outrageusement longtemps. Comme Michel Serrault dans le film. Cent dix ans ou cent quinze. Après tout, ces gens-là lui auraient joué la vilaine farce de n'être pas à la hauteur de son plan et elle serait donc fondée à se venger.

À première vue, ils lui plaisaient assez, ce Didier et cette Agnès. Prudence. À leur avantage : ils n'avaient pas commis l'indélicatesse de foncer d'une pièce à l'autre, de métrer, de gratter les murs, de s'informer du tout-à-l'égout ou du chauffage central. Bref, ils ne l'avaient pas remisée avec les autres spectres de la maison. Et puis, autant le dire : leur véritable admiration pour cette vieille bâtisse autoritaire l'avait flattée. Une belle et bonne demeure qui avait vu naître et grandir tant d'êtres, qui les avait menés du début à la fin de leur vie. La timidité que Didier dissimulait derrière une façade de maîtrise, associée à la gentillesse d'Agnès qui lui parlait à voix basse de confitures, de brassées de jonquilles, s'informait de l'histoire du lavoir en ruine ; autant de choses qui avaient rassuré Jeanne. Amusant : si cette excellente impression se confirmait, c'étaient eux qu'elle allait cueillir comme une brassée de jonquilles !

Ils bavardèrent durant une heure puis visitèrent la maison sans hâte, seuls, puisque Jeanne avait lourdement insisté sur ses douleurs de membres et de dos. Demeurée dans le salon, elle tergiversa. Les inviterait-elle à déjeuner ? Il était presque treize heures. Pourquoi pas. On devine tant de choses aux manières de table d'invités. Elle prépara une généreuse omelette aux pommes de terre et aux fines herbes ainsi qu'une grosse salade, dressa la table pour trois dans l'immense cuisine et contempla le résultat, un sourire aux lèvres. Son plan. Ces trois assiettes, ces trois verres étaient un avant-goût du proche triomphe de son plan. Avant-goût engageant. Très.

D'abord gênés de lui avoir occasionné un tracas, le jeune couple s'installa, ravi. Agnès avoua :

– C'est si attentionné de votre part. Je meurs de faim ! Nous n'avons avalé qu'un café en quittant Paris.

Ils discutèrent encore de choses et d'autres, se confiant par menues touches, souriant souvent. Décidément, les choses prenaient aimable tournure. Jeanne les mena où elle le souhaitait, sans qu'ils s'en aperçoivent. En dépit du creux qui lui vrillait l'estomac, elle repoussa dans un soupir la moitié de sa petite portion d'omelette.

– Vous ne mangez pas beaucoup, madame, s'inquiéta Didier.

– Oh... Je n'ai guère d'appétit depuis quelque temps. L'âge sans doute.

– Si ça persiste, il faut aller consulter un médecin, c'est plus prudent, conseilla Agnès.

Qu'elle était mignonne avec ses jolis yeux bleus soucieux. Il ne lui manquait que d'avoir les cheveux un peu plus clairs. Elle aurait presque pu passer pour la fille que Louise n'avait pas eu le temps d'avoir. La petite-fille de Jeanne, donc.

Savourant l'omelette mousseuse sans chichis, ils se tenaient bien à table. Jeanne n'aurait pas supporté la perspective de partager les repas d'une famille de bâfreurs, mâchonnant bouche entrouverte, avachis au-dessus de leurs auges.

Un pincement désagréable l'électrisa. Elle toussota. D'une petite voix incertaine, elle attaqua la phase suivante de son stratagème :

– Et concernant les mensualités... Dieu que c'est embarrassant... mon notaire me recommande de... enfin, je veux dire, d'évaluer vos possibilités financières. Oh, je ne doute pas... mais enfin...

– Rien de plus normal, madame, la rassura Agnès. Après tout, nous avons bien visité votre maison. Il est donc tout à fait justifié que vous obteniez également des garanties à notre sujet.

Ah oui, vraiment ! Elle était parfaite cette jeune femme. Jeanne adora la façon dont Didier couvrait de sa paume la jolie main fine, seulement ornée d'une large alliance.

– Je manque à tous mes devoirs, reprit Jeanne. Filez au salon pendant que je débarrasse et nous prépare un café.

– Non, non, intervint Didier. Nous vous avons assez fait travailler. Allez vous installer tranquillement, je débarrasse et Agnès se charge de la vaisselle. C'est beaucoup plus prudent pour vos assiettes !

La veille dame se rencogna dans son fauteuil en ronronnant. À n'en point douter, la vraie vie ressemblait à cela.

Elle les entendit rire de la cuisine voisine et pouffa en imitation, sans trop savoir pourquoi. Peut-être parce qu'elle ne s'était pas sentie aussi rassérénée depuis longtemps. Agnès revint avec un plateau chargé de tasses et d'une petite laitière. Une émotion difficile à dissimuler envahit la vieille dame. Comment Agnès savait-elle que Jeanne préférait son café de l'après-midi au lait ?

Louise, ma chérie, c'est un signe que tu m'envoies, n'est-ce pas ? Elle prend son café noir, tout comme son mari. La laitière de mon service de mariage m'était donc destinée. À moi seule.

C'étaient eux. Jeanne Thilleux en était maintenant certaine.

Didier étala sur la table basse les relevés de comptes du couple, expliquant d'une voix sérieuse et lente leurs avoirs. Sans être riches, ils vivaient confortablement. Jeanne ne l'écoutait pas. Une question cruciale, urgente lui trottait dans la tête.

– Vous n'avez pas d'enfants ? osa-t-elle enfin d'une voix fluette.

Lorsque Didier leva le regard vers sa femme, une ombre de chagrin l'obscurcissait. Agnès baissa la tête, cherchant ses mots. Jeanne se serait volontiers giflée de ce qu'elle redoutait être l'une des plus grosses gaffes de sa longue vie.

– Pas encore, madame, répondit la jeune femme d'une voix tendue. J'ai fait deux fausses couches, à quelques semaines de gestation. Je...

Jeanne lui saisit la main, beaucoup plus affectée par cette confidence qu'elle ne souhaitait le laisser paraître :

– Je suis désolée, mon petit. Si confuse de mon indiscrétion... vieille sotte que je fais !

– Surtout pas, madame, la réconforta Agnès. Vous ne pouviez pas savoir. Je suis un traitement hormonal. Jusque-là... ça n'a rien donné, mais nous ne perdons pas espoir.

– La vie parisienne ne doit pas arranger, commenta Jeanne. Toute cette vitesse, ce stress...

– C'est certain, approuva Didier. D'où notre envie de nous reculer. Offrir aux enfants la place de gambader, de courir sans qu'on redoute de les voir passer sous une voiture...

Jeanne hocha la tête en signe d'acquiescement. Ils allaient avoir un bébé et il naîtrait ici, à *La Renardière*. Cependant, il fallait les y conduire avec patience, qu'ils ne se sentent pas piégés au risque de prendre peur. Or, ils étaient piégés. Et Jeanne allait veiller à la fermeture de la cage !

Elle récupéra les relevés de comptes, feignant l'incompréhension avec un beau talent :

– Je m'y perds. Je ne me suis jamais faite au passage à l'euro, mentit effrontément celle qui avait maîtrisé les conversions plus vite que la calculette de son banquier.

– Comme moi, avoua Didier. Ça va jusqu'à mille euros, mais après...

Jeanne avait toujours eu une excellente tête pour les chiffres. Elle calcula à toute vitesse le montant des mensualités. Séduits par *La Renardière*, enthousiasmés par sa propriétaire, charmés par le moment délicieux qu'ils venaient de partager, ils sautèrent à pieds joints dans le piège tendu par la vieille dame roublarde.

L'accord fut signé peu après devant le notaire. Jeanne ne leur donnait pas deux ans. Ils allaient suffoquer sous la pression financière, économisant sur les vacances, repoussant l'achat d'une voiture ou d'un nouveau téléviseur, rognant sur les sorties. Certes, *La Renardière* valait amplement la somme qu'elle demandait. Cela étant, avec un loyer parisien en plus, ils ne s'en tireraient pas.

Deux ans, c'est bien. Ça donne le temps de se connaître, de se flairer l'âme. Dans deux ans elle déciderait si elle voulait vivre cent quinze ans.

Cinq mois plus tôt

Jeanne les attendait, piaffant d'impatience. Tout était prêt. L'arbre de Noël surchargé de décorations joyeuses, les paquets enrubannés, la poularde aux truffes, les huîtres, le saumon, le foie gras, le champagne, la chambre d'Agnès et de Didier.

Quelle joie elle se faisait de la petite semaine qu'ils passeraient ensemble ! Il lui semblait qu'elle n'avait songé qu'à cela depuis un mois, faisant, refaisant vingt fois le menu, choisissant, rechoisissant chaque cadeau. À cela et à Louise, bien sûr.

Les quinze jours de grandes vacances qu'Agnès et Didier étaient venus passer au mois d'août dernier avaient été un enchantement de tous les instants. Lorsque Jeanne avait vu leur voiture disparaître au tournant du petit chemin, elle s'était retenue de fondre en larmes. D'ailleurs, la voix d'Agnès chevrotait aussi lorsqu'ils avaient téléphoné afin de prévenir qu'ils étaient bien rentrés dans la capitale.

Enfin, ils étaient de retour, s'attardant plus longtemps qu'un ridicule petit dimanche ou un week-end tout étriqué. Quant au plus beau cadeau de cette soirée, Jeanne se le destinait. En confidence. L'araignée virait pirate. Elle pouffa, s'imaginant la crinière au vent, le crâne serré d'un foulard, un coutelas entre les dents, cramponnée d'une main à la barre.

Lorsqu'ils dépassèrent la pancarte annonçant le parc naturel du Perche, Didier et Agnès soupirèrent de soulagement. Elle caressa la joue de son mari et commenta :

– L'impression de rentrer chez soi, n'est-ce pas ?

– L'air change tout de suite, tu ne trouves pas ?

– Les vitres sont fermées, chéri. Il fait un froid de gueux.

– Quand même, insista-t-il. Ce que ce serait chouette si on avait un peu de neige. Un Noël blanc. (Inquiet, il demanda pour la troisième fois du voyage :) On n'a rien oublié, tu es sûre ?

– Rien. Tous les paquets sont présents au rapport. On s'est ruinés, non ? Pas très raisonnable. Ce n'est pas facile entre *La Renardière* et l'appartement de Paris.

– *La Renardière* vaut ce qu'on la paye et Jeanne méritait amplement ses cadeaux, mon ange.

– C'est vrai. Elle est adorable. Elle me manque. Ça fait plus d'un mois que nous ne l'avons vue. Et puis tu as raison : on s'en fiche. On se passera de vacances, conclut Agnès.

– D'autant que nous en avons eu de magnifiques l'année dernière avec notre Jeanne.

– Qu'est-ce qu'on a ri ! Elle peut devenir complètement gamine.

Ils papotèrent tout le temps de leur installation, s'interrompant, s'esclaffant, se racontant par le menu le mois écoulé. Tant de choses à dire, à écouter. Jeanne en avait le tournis. Un délicieux tournis.

Ils dînèrent aux chandelles, se réjouissant les uns des autres. On ouvrit les cadeaux, malgré l'opposition de Didier qui insistait sur le fait que « les cadeaux, c'est le jour de Noël, pas la veille ». Mis en forte minorité par les deux femmes, il abdiqua de bonne grâce. Jeanne n'en revenait pas. Les larmes aux yeux, elle examinait le beau four à micro-ondes et à vapeur, la magnifique écharpe en cachemire, les confortables chaussons fourrés d'agneau, sans oublier l'énorme boîte de truffes en chocolat, son péché mignon. Ils déballèrent à leur tour leurs présents. Elle roucoulait de bonheur à constater leur plaisir, à écouter leurs exclamations surprises et joyeuses.

– Oh, vous êtes folle, Jeanne ! C'est beaucoup trop.

– Oh... cette robe de chambre est une vraie merveille !

– Et mon pull... laine et soie. J'adore ce vert lichen...

Certes, elle les avait gâtés. Toutefois, ils ignoraient que les semaines qu'elle avait passées à se creuser la tête afin de choisir le bon objet, le pull idéal, l'appareil photo numérique adéquat, à changer d'avis vingt fois, toutes ces réjouissantes incertitudes lui avaient permis d'atténuer le chagrin que lui causait leur absence. Ainsi, d'une certaine façon, elle ne les avait pas quittés d'un jour.

Ragaillardie par la soirée, sans omettre les trois coupes de champagne qu'elle venait de s'octroyer, la pirate fonça à l'abordage.

– J'ai été comblée de présents. Vous vous êtes ruinés mes enfants. Si, si... je m'en doute. C'est que ce n'est pas rien de payer *La Renardière* en plus du reste...

Au regard qu'échangèrent Agnès et Didier, Jeanne comprit qu'ils étaient mûrs pour la suite.

– ... Il m'est venu une idée, peut-être fofolle. Didier... vous souvenez-vous lorsque vous m'avez expliqué ce qu'était le télétravail ?

– Beaucoup de gens s'y sont mis dans ma partie.

– Oh, c'est très bien les ordinateurs, approuva Jeanne d'un ton pénétré, au point qu'on aurait pu croire qu'ils avaient été inventés la veille. Je me suis dit... arrêtez-moi si le champagne me monte à la tête... je me suis donc dit que vous pourriez vous installer ici. La maison est si vaste. On ne se marcherait pas dessus. À moins, bien sûr, que la perspective d'avoir continuellement un vieux tromblon sous les yeux ne vous déprime.

– Oh, Jeanne ! s'offusqua Agnès. D'abord vous n'êtes pas un tromblon et ensuite vous êtes probablement une des femmes les plus distrayantes que je connaisse !

– Alors, ça, c'est vrai de vrai, opina fermement Didier. Euh... mais, vous êtes sérieuse ?

Jeanne le dévisagea de son grand regard bleu pâle :

– J'ai rarement été aussi sérieuse de ma vie, mon petit.

Ils emménagèrent un mois plus tard. Tous les matins qu'avait duré cette interminable enfilade de quatre semaines, Jeanne s'était précipitée dans la cuisine, biffant sur le calendrier la veille défunte d'un geste victorieux.

Pourquoi avoir imaginé de vivre cent quinze ans juste pour enquiquiner de mauvais candidats ? Pourquoi ne pas plutôt vivre cent quinze ans pour profiter le plus longtemps possible des merveilleux petits qu'elle avait gagnés de haute lutte, puis de leurs enfants, de leurs petits-enfants ?

À l'habitude, tu as raison, ma Louise. Je vais donc vivre cent quinze ans. Peut-être même cent vingt !

De Montparnasse à Bombay

Dans un autobus parisien

Peu importe le numéro de la ligne d'autobus que j'empruntai ce soir-là. J'avoue ne plus m'en souvenir. Toujours est-il qu'il me ramenait à la gare Montparnasse.

La journée n'avait guère dû être exceptionnelle, puisqu'elle ne me laisse rien de particulier. Une de ces journées de décalcomanie, semblable à mille autres qui se volatilisent sitôt abouties. Jusqu'au moment où je grimpai dans l'autobus pour acheter un billet au conducteur. Engoncée dans l'indifférence citadine qui me revient comme une seconde peau dès que je franchis les limites de la capitale, je ne remarquai d'abord rien. Il me rendit la monnaie, posant quelques pièces d'un geste si sec dans la coupelle en aluminium qu'elles valsèrent dans un frêle cliquetis. Une pugnace odeur de vanille m'étonna jusqu'à ce que j'en comprenne l'origine : une multitude de petits sent-bons collés sur le tableau de bord à l'aide de bouts de ruban adhésif. Le soupir excédé du conducteur me fit lever la tête. Le regard braqué sur son rétroviseur, il surveillait quelque chose, ou quelqu'un, au fond de l'autobus.

L'ordre claqua, si péremptoire que j'en ratai la fente de l'oblitérateur.

– Vous m'enlevez vos godasses du siège, mademoiselle ! Tout de suite ! Vous feriez ça chez vous ? Non... ben là, vous êtes dans MON bus !

Se levant, il marmonna ensuite :

– C'est dingue, ça ! On ne peut pas avoir quelque chose d'un peu joli sans qu'un vandale vous l'abîme ! C'est tous les jours qu'il faut que je m'énerve contre des mal élevés et des destructeurs.

Il fonça à l'autre bout de son véhicule et épousseta d'un revers de manche le siège outragé par une grosse chaussure. L'horrible coupable, une jeune femme, se recula sous la charge ménagère. Saisie, bouche entrouverte, elle en oublia de mâchonner le chewing-gum coincé entre ses canines. Il porta le coup de grâce en lui lançant, le plus sérieusement du monde :

– Si encore il s'agissait de jolies pompes... En tout cas, vous n'allez pas bousiller mon siège avec vos écrase-merdes moches à pleurer !

Je le détaillai. Grand, d'une minceur musclée, très brun, il ne devait pas avoir trente ans. J'hésitai entre le fou rire, l'idée que, de fait, les irrespects quotidiens ou les provocations banales doivent finir par lasser le plus complaisant des chauffeurs de bus, et la stupéfaction. J'oscillai entre l'agacement devant sa démesure réparatrice et un certain attendrissement. Il l'aimait, son bus. Il l'aimait au point de le parfumer comme une voiture que l'on bichonne. D'autant que... elles étaient vraiment très laides, les chaussures de la jeune femme.

Les deux arrêts de mon périple se déroulèrent dans un pesant silence. La remontrance avait claqué le bec des voyageurs. Chacun se consultait du regard, se demandant ce que pensait son voisin de cet éclat de nerfs. Seule une jeune femme, assise en diagonale de moi, ne participait pas à ce muet échange d'incertitude. Elle était jolie, vêtue d'un jean et d'un blouson de cuir, ses longs cheveux nettement tirés en queue-de-cheval. Des cheveux d'un brun intense et velouté, très rare chez une Européenne. Les mains étendues à plat sur ses cuisses, elle ne lâchait pas des yeux la nuque du chauffeur ulcéré. Son maintien, la tension de ses jambes m'alertèrent. Une femme flic en civil. Une chose m'intrigue toujours chez les policiers : la façon dont ils habitent leur corps. On dirait que leur épiderme a été taillé sur mesure avec grand soin. Ils semblent si à l'aise à l'intérieur, jamais empêtrés dans leurs mouvements. Leur regard aussi m'étonne. Cette espèce de fixité capable de se concentrer sur plusieurs objets à la fois.

Quant au conducteur, dès que la circulation le lui permettait, il jetait un œil soupçonneux et vindicatif à la profanatrice de siège par l'intermédiaire de son rétroviseur.

Cédric remonta au pas de charge son beau bus. Insensé, la façon dont se comportaient certaines personnes ! Le genre de barbares qui n'hésiteraient pas à dessiner des moustaches à la Joconde juste pour faire rigoler les copains. Pourquoi s'obstinent-ils à enlaidir ce qui est beau ? Quelle satisfaction peuvent-ils trouver dans ces dégradations communes qui gâchent un peu plus le monde, lequel n'a vraiment pas besoin qu'on en rajoute une couche ? Est-ce une forme de désespoir rampant qui incite à démolir ce qu'on ne peut pas posséder ou comprendre ? Ou alors, est-ce une autre preuve de l'insondable bêtise humaine ?

Cédric redémarra, s'efforçant au calme. Ses mains tremblaient sur le large volant. Il inspira lentement. L'odeur sucrée de la vanille bourbon diffusée par les désodorisants l'apaisa un peu. Il les scotchait chaque matin sur son tableau de bord pour les ranger au soir dans un sac congélation afin qu'ils ne s'éventent pas inutilement. Juste après son petit tour d'inspection. C'était devenu un rite. Il se contrefichait que les collègues se poussent du coude derrière son dos en se marrant. Il prenait possession de SON autobus un quart d'heure avant le départ programmé. Il vérifiait que le ménage avait été fait dans les règles. Il contrôlait les sièges, traquant la moindre ombre boueuse, la plus petite égratignure des rembourrages. Il examinait les barres chromées à l'affût d'empreintes de doigts graisseux ou de vieux chewing-gums collés à hauteur de genoux. Il humait, narines circonspectes, éprouvant l'air à la recherche d'insupportables relents de transpiration ou de bouffe, voire d'excréments de chiens transportés sous des semelles. Rassuré, il regagnait sa cabine, regrettant chaque matin son ouverture, puis semait ses désodorisants à la vanille. Ce n'était sans doute pas son parfum préféré. Il réservait le magnolia et l'ylang-ylang à son véhicule personnel. L'arrogante subtilité du magnolia. Quant à l'ylang-ylang, il y a dans la répétition de ses syllabes tant de voyages et de mystère. Des noms d'îles que l'on serait incapable de placer sur une mappemonde mais qui sortent en soupir de la gorge : Mohéli ou Nosy Be. Au point que Cédric n'avait jamais voulu découvrir à quoi ressemblait l'arbre de peur d'être déçu par une taille étriquée ou des fleurs quelconques. Il avait donc réservé la vanille à son bus. La suavité tenace de la vanille accompagnait ses journées. Au pire de ses énervements, l'idée qu'il baignait dans des brassées d'orchidées le réconfortait.

Au fond, bien qu'il fût devenu chauffeur de bus par coïncidence, il appréciait la solitude de ses tournées. Surtout, il aimait l'admirable espace manufacturé dont il prenait possession chaque matin. C'est beau, un bus. Il y a tant de puissance disciplinée dans ce bloc compact de métal. Ça peut rouler des centaines de milliers de kilomètres sans faillir. C'est un ensemble parfait de technologie et d'astuces destiné à faciliter la vie de milliers de gens.

En réalité, Cédric se destinait à l'ébénisterie. Il avait commencé son apprentissage chez un vieux bonhomme grincheux qui savait faire revivre les meubles estropiés, les cajolant comme s'ils étaient des membres de sa famille. Il leur rendait leur grâce, leurs courbes et leurs incrustations avec un soin maniaque d'amoureux. Et puis, le vieux bonhomme était mort. Sa fille avait liquidé l'atelier.

L'aigreur rattrapa Cédric. Destiné à faciliter la vie à des malotrus sans reconnaissance ! Comme cette gonzesse avec ses croquenots. Il l'épingla à nouveau du regard par l'intermédiaire de son rétroviseur, la défiant d'oser récidiver. Elle avait le visage tourné vers la vitre et mâchonnait son chewing-gum, le front buté et revanchard. D'abord, elle était moche ! Quant à ses godasses, il y avait de quoi frémir. Si jamais elle maculait à nouveau le siège avec ses semelles cradingues, c'était dit, il la sortait de SON autobus.

Il se contraignit au calme, expirant avec lenteur entre ses joues. Il opta pour une technique qui marchait presque à tous coups. Se concentrer sur de jolies images. Évacuer les laideurs, les approximations fâcheuses qui vous polluent les heures. Il tourna mentalement les pages glacées de ce beau livre qu'il s'était offert à Noël dernier : *Des autobus et des hommes*. Des photos à l'inattendue perfection, d'étonnantes révélations sur la passion qui lie des êtres de sang à leurs machines. Ils les parent de fresques ou de rubans, de petits sujets religieux ou maritimes, de fleurs et de franges de passementerie, à la manière d'idoles bienveillantes. Le mauvais goût s'estompe dans le désir. Désir qu'une carcasse rutilante devienne un prolongement de soi, mieux, une extension. Désir qu'elle affiche les symboles qui nous remplissent sans qu'on les comprenne tout à fait. Désir qu'elle traduise tout ce que l'on regrette, tout ce que l'on désespère de devenir. Cédric avait ainsi suivi les signes de piste semés par des hommes de l'autre bout du monde. Des conducteurs de bus, comme lui. Ce Turc qui sillonnait les routes de poussière ocre entre Istanbul et Konya. Une couronne de guirlandes rouges, lourdes de longs pompons dorés, courait le long de son vieux Mercedes. On en ceint le front des chameaux afin de les protéger des mouches acrimonieuses. Il avait remplacé le siège du conducteur par une de ces larges selles de caravanier. Et Cédric avait compris que cet homme ne conduisait pas seulement un bus. Il guidait une caravane qui progressait au rythme de la démarche à l'amble des grands animaux désagréables. Cet autre, un vieux Grec au visage buriné de soleil dont le tableau de bord soutenait les ventouses d'une multitude de sirènes, queues bleutées enroulées sous elles. L'une maintenait un petit ventilateur au-dessus de sa tête. Les parois du véhicule étaient recouvertes de coquillages collés. Un filet de pêcheur à flotteurs de verre délimitait la cabine. Cédric avait senti que sous les rides et le sourire édenté se dissimulait un Poséidon, fils de Cronos, frère de Zeus et d'Hadès. Il arriva enfin à son préféré : un Indien de Bombay, mince comme un fil, élégant comme une gravure de mode dans son impeccable chemise blanche amidonnée à col montant. Un jeune type aux cheveux lissés vers l'arrière, un fume-cigarette d'ivoire entre les doigts. Dandy d'un siècle passé qui ne se démoderait jamais. Une indienne, camaïeu de violets, était jetée sur son siège. Un rideau de crêpe gris pâle tendait la vitre conducteur. Un bouquet de jasmin séchait sur le tableau de bord. Cédric s'était interrogé des heures durant à son sujet. Qu'était-il au fond de lui, ce jeune gars qui lui ressemblait un peu ? Des dizaines d'hypothèses s'étaient succédé sans qu'aucune ne le convainque tout à fait. La solution s'était imposée un matin, alors qu'il scotchait ses sent-bons à la vanille. Le conducteur de Bombay se prenait pour un jeune premier de Bollywood. Insensible à la continuelle cohue des rues dans lesquelles slalomait son bus, au vacarme qui l'environnait sans trêve, il interprétait pour lui seul les amants passionnés ou les gigolos calculateurs. D'éblouissantes créatures défaillaient entre ses bras, effarouchées mais conquises. Il respirait dans une longue chevelure brune dénouée, baisait un triangle de gorge qui se dérobait en s'offrant. Ses mains impatientes froissaient le méticuleux drapé d'un sari.

Le désagréable claquement d'une lame de cutter qui avançait dans son fourreau de plastique tira Cédric de son livre. La nana aux grosses godasses s'était levée. Elle semblait hésiter à rejoindre la porte centrale. Son air dégagé, que démentait une teigneuse mastication de chewing-gum, alarma le chauffeur. Son déplaisir vira à la hargne. Il s'arrêta dans un couloir de bus, insensible au concert de Klaxon qui s'éleva aussitôt, et se rua vers la fille. Fou de rage, il attrapa le poignet qui tentait de dissimuler l'arme avec laquelle elle avait la ferme intention de lacérer le siège et de laver l'affront subi plus tôt. Elle hurla, paniquée par la rage qu'elle lisait dans le regard sombre de l'homme. Incapable de l'injurier tant il était furieux, il la secoua sans ménagement. Elle tenta de se débattre, glapissant :

– Lâche-moi, espèce de tordu ! Merde, tu me fais mal ! J'vais porter plainte. Ça va te coûter bonbon !

Il éructa enfin :

– J'en ai ma claque de vous. Tous ! Descendez de ce bus. Vous ne le méritez pas. Dehors, tout de suite, tout le monde ! Barrez-vous !

D'abord médusés, les voyageurs se levèrent les uns derrière les autres. Sauf la jeune femme vêtue d'un jean et d'un blouson de cuir, ses longs cheveux très bruns tirés en queue-de-cheval. Au lieu de cela, elle se ramassa sur ses jambes, se tendant, serrant les poings, prête à intervenir si le gars perdait totalement le contrôle et malmenait physiquement un des usagers.

Une file stupéfaite s'écoula vers la rue, sans un mot.

Vous aussi, ordonna Cédric à la jeune femme brune.

– Non.

Il s'avança vers elle.

Elle l'arrêta d'une voix grave, lente :

– Je vous déconseille de poser la main sur moi.

Elle se leva. Elle était presque aussi grande que lui. Le calme inflexible qu'il lut dans la ligne de ses mâchoires l'apaisa un peu. Il insista pourtant :

– Descendez.

– Non. Je ne descendrai qu'au terminus. C'est mon arrêt. (Elle inspecta le bus du regard avant de reprendre :) Je comprends que ça vous mette les nerfs en pelote. Il est beau, ce bus. D'un autre côté, vous n'y allez pas avec le dos de la cuiller. S'ils portent plainte, acheva-t-elle en désignant du menton une grappe de voyageurs au spectacle, agglutinés derrière une des vitres, vous allez être viré.

Il la considéra quelques instants. Il aimait bien sa voix. Elle lui évoquait un fleuve qui s'écoulerait en se moquant des urgences humaines. Le Gange, peut-être. Le Gange passe-t-il à Bombay ? Cédric n'en avait pas la moindre idée. Il acquiesça :

– Ça ne fera pas un pli. Pour être tout à fait franc, je m'en balance.

– Pourquoi ne pas redémarrer et terminer votre circuit ? proposa-t-elle dans un demi-sourire. Peut-être que vous passerez au travers cette fois-ci.

Il sembla réfléchir et secoua la tête en signe de dénégation.

– Pas envie. Plus envie. (Il soupira, puis :) Écoutez, je vous trouve plutôt jolie fille et assez sympa. Il vaudrait mieux que vous descendiez. Vraiment.

– Non, murmura-t-elle.

· Bon, tant pis. Vous ne vous en prendrez qu'à vous-même.

Il lui tourna le dos et rejoignit sa cabine. Il s'agenouilla et tira le sac de voyage glissé sous son siège. Elle le suivit et s'enquit d'un ton à la placidité menteuse :

– Que comptez-vous faire ?

– Reprendre la route, quoi d'autre ?

– C'est bien, approuva-t-elle.

Le calme soudain de l'homme la troublait. Le fameux calme qui précède la tempête. Elle se prépara au pire comme il descendait la fermeture Éclair du gros sac. Dehors, une grêle de coups de Klaxon et d'invectives s'abattait sur l'autobus. Le nez écrasé contre la vitre, deux des voyageurs expulsés persistaient à suivre leurs allées et venues. Laure se demanda ce qu'ils espéraient : une tuerie ou un dénouement civilisé ? L'un ou l'autre. Après tout, chaque fin était propice aux conversations du soir devant la télé.

Tête baissée vers le contenu de son sac, le chauffeur s'obstina d'une voix lasse :

– Je vais boucler les portes. Vous devriez vraiment sortir.

– Non.

– D'accord, soupira-t-il.

Laure écarta légèrement les jambes afin d'assurer son équilibre. Bien entraînée, elle était de taille à le maîtriser. Elle suivit le mouvement des mains de l'homme. Il extirpa deux gros trucs mous. Qu'est-ce qu'il tenait ?

Cédric se redressa et proposa :

– Choisissez celle que vous préférez.
– Euh... C'est quoi ?
– Des indiennes. Pour recouvrir les sièges. Enfin, je veux dire le vôtre et le mien.

En pleine incompréhension, la jeune femme opta pour un motif chamarré, dans les tons verts et pourpres. Cédric en drapa le siège situé à côté de lui, de l'autre côté de l'allée centrale. Ainsi, il pourrait discuter avec elle et la contempler. Elle avait les cheveux les plus somptueux qu'il ait jamais vus. Peut-être les dénouerait-elle au cours du voyage. Ça doit tirer, une queue-de-cheval. Il nappa son siège de l'autre indienne, une dilution d'or dans l'outremer.

Il repêcha ensuite un flacon au fond du sac et en vaporisa l'air. Le jasmin se mêla aussitôt à la vanille, envoûtante profusion qui anéantit la lourdeur écœurante des pots d'échappement de Paris le soir.

Laure s'installa sans un mot, la tête vide. Le bus redémarra.

À un moment, l'idée incongrue qu'ils filaient vers l'est effleura la jeune femme. Elle songea qu'elle devrait interroger son conducteur. Pourtant, la fatigue l'engourdissait. Elle tenta de lutter contre l'espèce d'assoupissement qui lui faisait papillonner des paupières.

Devrait-elle avoir peur ? Ce type n'était-il pas complètement ravagé ?

Cédric demanda d'un ton doux :
– Comme ça, vous allez jusqu'au terminus ?

– Oui, Porte-de-Champerret.

– Non. Le terminus, c'est Bombay. C'est à l'est, en Inde, c'est tout ce que je sais. On y sera peut-être dans deux ou trois jours. On peut faire plusieurs fois le tour du monde avec un bus, vous saviez cela ?

TABLE

Photocomposition PCA
44400 Rezé

Achevé d'imprimer en mai 2007
par Firmin-Didot (Mesnil-sur-l'Estrée)
pour le compte des éditions Calmann-Lévy
31, rue de Fleurus 75006 Paris

Dépôt légal : juin 2007
N° édition : 14289/01
N° impression : 85211

Imprimé en France